CW00410366

LES DEMOISELLES

Anne-Gaëlle Huon a une passion pour les listes et une tendresse particulière pour les vieilles dames. Sa plume lumineuse et optimiste met en scène des personnages attachants empreints d'une vraie joie de vivre. Après le succès du *Bonheur n'a pas de rides*, elle nous invite en Provence avec *Même les méchants rêvent d'amour*.

Paru au Livre de Poche :

LE BONHEUR N'A PAS DE RIDES

MÊME LES MÉCHANTS RÊVENT D'AMOUR

ANNE-GAËLLE HUON

Les Demoiselles

ROMAN

ALBIN MICHEL

ISBN : 978-2-253-10360-8 – 1re publication LGF

À ma mère.

« Je crois en la couleur rose. Je crois que le rire est la meilleure façon de brûler des calories. Je crois aux baisers, beaucoup de baisers. Je crois qu'il faut être forte quand tout semble aller mal. Je crois que les filles joyeuses sont les plus jolies. Je crois que demain est un autre jour et je crois aux miracles. »

Audrey Hepburn

1

Mauléon, de nos jours

Je suis tombée sur ton portrait dans le journal. Ça m'a coupé le souffle.

J'étais chez le coiffeur, au milieu du bavardage des clientes et du bruit des sèche-cheveux. Les mains tremblantes, j'ai détaillé ta photo. La toque. Le tablier. Mon cœur s'est emballé, j'ai cru qu'il allait exploser. Ton regard, ton sourire. Quelle belle femme tu es devenue !

« Liz Clairemont, la chef préférée des Français ! »

J'ai lu l'interview d'une traite, sans respirer. Et puis j'ai recommencé, pour me convaincre que c'était vrai.

La journaliste ne tarissait pas d'éloges sur toi. Il était question de ta participation en tant que jurée à l'émission *Toque Chef*. À l'en croire, j'étais bien la seule à être passée à côté. Faut dire aussi que j'ai pas la télé. Toi qui avais conquis nos cœurs, tu es désormais une vraie célébrité.

Sous mes bigoudis, j'ai pleuré.

La dernière fois que je t'avais vue, c'était devant la maison des Demoiselles. Tu avais quatre ans et un ours en peluche dans les bras. Je m'en souviens comme si c'était hier. Tes larmes derrière la vitre. La voiture qui t'emporte. Mon cœur qui s'arrête.

Jusqu'à aujourd'hui je ne savais pas ce que tu étais devenue.

Quand la coiffeuse s'est détournée, j'en ai profité pour arracher la page.

S'en sont suivies de longues nuits sans sommeil. Me revenaient ton rire, nos virées sur la côte basque, tes chansons, nos câlins du soir. Et ta petite main dans la mienne.

Tu m'as tellement manqué, ma Liz.

Ma familiarité doit te surprendre. J'imagine que tu ne te souviens de rien. Surtout pas de moi.

Seule dans la cuisine, j'ai interrogé la lune. Que savais-tu de tes origines ? Fallait-il parler ? Ou enfouir tout ça dans un coin de ma mémoire ? Comment réagirais-tu en apprenant la vérité ?

J'ai envisagé de prendre le train pour Paris. Je serais allée dîner dans ton restaurant, peut-être même que j'aurais osé te saluer. Mais j'ai renoncé. Qu'est-ce qu'une célébrité comme toi aurait à faire d'une vieille dame comme moi ? Mon nom ne te dirait rien. Mon visage encore moins.

Ces questions m'obsèdent et je n'ai personne pour m'aider à y répondre. Voilà le drame de la vieillesse : les doutes nous tiennent compagnie et les étoiles sont peu loquaces. Alors ce soir, j'ai décidé de t'écrire.

De te raconter mon histoire, qui est aussi un peu la tienne. Pas parce que je suis âgée. Pas parce qu'il n'y a plus que moi. Pas au nom de la vérité. Mais au nom de la tendresse et du courage.

Les Demoiselles seraient si fières de toi.

2

Tout a vraiment commencé quand j'avais quinze ans.

Rien de ce qui est arrivé dans ma vie n'aurait été possible sans Alma. Elle est le commencement de tout. Et la fin aussi. Alma, c'était ma sœur. D'un an mon aînée. De grands yeux noisette, un rire qui vous éclaire, une bouche comme un fruit. Moi, j'étais maigrichonne, la peau mate, les yeux d'un faon, une tignasse pleine de nœuds. Je pourrais te dire qu'Alma était tout pour moi et que j'étais tout pour elle. Mais ce ne serait pas suffisant. Alma n'était pas seulement ma sœur. Elle était mon soleil. La lune, les étoiles, et toutes les planètes réunies.

Nous habitions un village espagnol au cœur des Pyrénées. Un petit coin perdu dont tu n'as sans doute jamais entendu parler, Liz, et tu n'as pas raté grand-chose. Quelques rues pavées battues par les vents, des toits raides et une église austère. À Fago, il n'y avait rien. Les gens du village cherchaient à partir. Mais pour aller où ? Et avec quoi ? Les filles s'en échappaient le temps d'une saison. Elles n'avaient qu'un seul mot à la bouche : Mauléon. Toutes attendaient l'automne pour rejoindre la France et devenir couseuses d'espadrilles. Traverser les montagnes à pied et passer l'hiver au Pays basque, le temps d'amasser un peu d'argent. Devenir une hirondelle et risquer sa vie pour un trousseau.

L'idée ne nous avait jamais traversé l'esprit, à ma sœur et moi. Nous rêvions d'aventure, mais n'étions pas prêtes à un voyage aussi long et périlleux. Une maladie infantile m'avait laissée boiteuse. Que serais-je allée faire dans les montagnes avec cette mauvaise jambe ? Et comment laisser Abuela ? Notre grand-mère nous avait élevées. Nous avait enveloppées de son amour, de sa tendresse. Elle était lessiveuse pour l'hôtel du village voisin. On grignotait dans les cuisines pendant qu'elle usait ses mains sur un bout de savon. Nous manquions de tout, sauf d'amour.

Fago, c'était un autre monde, ma Liz. Un monde pauvre, mais c'était le nôtre. Jamais je n'avais imaginé partir. Pourtant, quand Abuela est tombée malade, nous n'avons pas eu le choix. Elle a voulu me confier à son frère. Alma trouverait une place de bonne. Être séparée d'Alma ? L'idée me terrifiait. Ma famille se résumait à une vieille dame malade et à ma sœur. Comment vivre sans elles ?

Alors un soir, j'ai émis cette idée un peu folle. Derrière les montagnes, il y avait la France. Les ateliers d'espadrilles et la promesse d'un salaire. De l'argent pour Abuela. Pour prendre soin d'elle comme elle avait pris soin de nous. Nous reviendrions au printemps avec de quoi tenir suffisamment jusqu'à l'année suivante. Ensuite, nous verrions.

Un plan simple. Lucratif. Dangereux.

Alma a hésité. La France était loin, la route dangereuse. Ne valait-il pas mieux rester auprès d'Abuela ? J'ai insisté. Les six mois passeraient vite, qu'avions-nous à perdre ? À nous la liberté, l'argent facile et l'aventure ! On racontait que le dimanche on dansait sur la place de Mauléon et que les Français étaient beaux. Évidemment que nous n'avions rien en commun avec celles qui partaient amasser des dentelles, nous resterions ensemble, il n'y avait rien à craindre.

Mon enthousiasme a eu raison de ses réticences. Pour moi, Alma était prête à tout. Voilà comment nous avons décidé de partir pour la France, ma Liz. Et c'est ainsi que tout a commencé.

3

1923. Les premiers jours d'octobre charriaient un air glacial. Elles étaient une dizaine de filles à peine, toutes vêtues de noir et chaussées d'espadrilles, deux longues nattes terminées par un ruban sombre sur la poitrine. La plupart faisaient le voyage pour la première fois. Carmen, la plus âgée, avait dix-sept ans. C'était son troisième voyage. Tout ce que nous savions de Mauléon, nous le tenions d'elle. L'an passé, Carmen avait rapporté des draps, des dentelles et un service en porcelaine. De quoi faire briller les yeux de toutes ses camarades. Hanches larges, seins lourds, sa silhouette contrastait avec celle efflanquée des plus jeunes, recroquevillées sous leur manteau.

À notre approche, murmures et regards noirs. Nous n'étions pas les bienvenues. Les filles du village ne nous aimaient pas mais Carmen était leur chef. Elle les a fait taire en nous saluant d'un signe de tête. Jadis, notre mère et la sienne avaient été amies. Avait-elle fait promettre à sa fille de garder un œil sur nous ?

— Il va faire froid, s'est contentée de dire Carmen.

Près du petit groupe, un jeune homme en chapeau noir, appuyé sur un bâton.

— En route ! Il n'y a pas de temps à perdre, a-t-il lâché.

Il a saisi la corde d'une mule et s'est mis en marche. Au loin, derrière les montagnes, l'aube s'annonçait dans un dégradé clair.

Le groupe de jeunes filles s'est mis à chanter. Mes pensées s'envolaient vers Mauléon. La veille, j'avais confié notre projet à l'institutrice. Elle avait froncé les sourcils, un peu inquiète. N'y avait-il pas d'autre solution ? Et puis elle avait eu un petit sourire triste et résigné. Le dernier jour, au lieu de calculs et de dictées, elle avait préféré prier.

« *Santo Dios*, protégez Rosa et Alma par-delà les montagnes et faites qu'elles nous reviennent. »

Notre groupe a longé le Calvera et pénétré dans la vallée de Roncal. Au pied des montagnes, un brouillard engloutissait les villages. Quelques jeunes filles des hameaux voisins nous ont rejointes, parfois accompagnées d'un frère ou d'un père. Le groupe se faisait de plus en plus calme. Devant nous, la forêt.

L'air était lourd. La terre gelée. Les ombres menaçantes. J'avais peur des loups, des bêtes sauvages. Mais j'étais déterminée à ne rien montrer. J'ai serré les dents. Cette expédition, c'était mon idée.

Nous avons entrepris l'ascension de la montagne. La pierre était humide et glissante. Nos baluchons encombrants. Dans mon foulard, j'avais glissé des haricots mange-tout. Ma sœur avait rempli le sien de trois kilos de haricots blancs et d'un peu de viande de chèvre. Au bout de son bras, un petit banc en bois qui nous servirait de siège durant les haltes.

Je progressais comme je pouvais. Traînant ma mauvaise jambe comme un boulet. Parfois, je surprenais le regard inquiet d'Alma. Alors je redoublais d'efforts pour rester en tête du cortège. Et je me suis retrouvée derrière lui.

Pascual.

J'ai détaillé ses épaules larges, sa nuque sombre. Il s'est retourné, soucieux de ne pas laisser le groupe en retrait. Mon cœur s'est mis à battre un peu plus vite. De la courbe de sa bouche au vert tendre de ses yeux, de la finesse de ses mains jusqu'au saillant de ses pommettes, tout chez ce garçon semblait avoir été créé par un dieu esthète, précis et appliqué. Alma et Carmen ont gloussé. Les joues rouges, j'ai accéléré, dépassant le jeune berger pour les mettre à distance.

Les heures ont passé. La forêt de chênes. Les plateaux, les vallons. Le babillage des hirondelles. Certaines s'arrêtaient parfois, fatiguées. Par groupes de quatre ou cinq, elles s'asseyaient sur leur tabouret en soupirant. Sans doute pensaient-elles aux merveilles de cadeaux et de dentelles qui les attendaient par-delà les reliefs. Mauléon comme un phare dans leur nuit.

À la faveur d'une pause, Alma, Carmen et moi nous sommes retrouvées seules avec Pascual. La fatigue creusait les visages. Même ma sœur gardait le silence.

— T'en veux ?

Il m'a tendu une gourde. J'ai pressé la peau flasque et un jet âcre a jailli dans ma bouche. J'aimais qu'il me traite comme une grande même si le vin me brûlait la gorge. Je me suis assise sur mon tabouret et, dans un réflexe de coquetterie, j'ai dissimulé ma mauvaise jambe sous ma robe.

Face à nous, un ciel lourd décapitait les Pyrénées. Ce décor était le mien depuis ma naissance, mais je ne me lassais pas d'admirer les montagnes. Entre les odeurs de terre, de feuilles et de roche se glissait l'arôme plus sucré des fleurs de nigritelle.

J'ai pris mon courage à deux mains et lui ai demandé d'une voix plus dure que je ne le voulais :

— Tu vas où ?

— En Argentine.

Il a sorti son canif et découpé un bout de manchego. Qu'il m'a tendu. La pâte ferme et tendre exhalait un goût beurré de noisette. Mon ventre criait famine. J'ai laissé le fromage se dissoudre sur ma langue. Dans sa famille, ils étaient neuf garçons. La main-d'œuvre ne manquait pas. L'argent, si. Quant au service militaire, tous essayaient d'y échapper. Ils étaient des centaines de bergers à prendre le large pour les Amériques. Futurs oncles prodigues.

— Je marche avec vous jusqu'en France, ensuite je rejoindrai la côte.

La perspective du grand large a fait briller ses yeux d'un nouvel éclat. Il avait vingt ans et déjà tout d'un homme. Pascual était le plus beau garçon qu'il m'avait été donné de voir. Même si à l'époque je n'en avais pas vu beaucoup.

Dans l'air, le parfum des sapins a remplacé celui des genêts. Un vautour a traversé le ciel, tournoyant lentement au-dessus de nos têtes.

— Faut y aller, a-t-il lâché.

Notre petit groupe s'est remis en marche. La pierre était glacée et, un peu plus haut, la route disparaissait sous un amas de neige. J'avançais en silence, attentive aux discussions des grandes, quand soudain ma jambe boiteuse et mal chaussée a dérapé sur une lame rocheuse. Pascual m'a rattrapée au vol.

— Fais gaffe ! La route est dangereuse !

La chaleur de sa main s'est éternisée un peu sur ma manche. J'ai frissonné. Devant nous s'ouvrait un ravin. Une bouche large, béante, traversée par un pont suspendu.

— Le pont des Enfers…, a murmuré Alma en s'accrochant à mon bras.

On disait que cette forêt était peuplée d'elfes. Abuela nous avait raconté toutes sortes de légendes et longtemps ma sœur et moi avions eu du mal à trouver le sommeil une fois la bougie soufflée. Tout un bestiaire étrange et fabuleux a traversé mon esprit. Il m'a semblé entendre un hurlement, ça s'agitait dans les broussailles.

— Ne regarde pas en bas, m'a soufflé Alma.

Je me suis empressée de lui désobéir. Et j'ai crié. Le ravin semblait ne pas avoir de fond. Le vide m'appelait.

Un bruit m'a tirée de ma stupeur. Un petit groupe est apparu de l'autre côté du pont, une lampe à la main. Trois hommes et une femme voûtée, silhouette minuscule sur le vert de la forêt. Sa démarche était étrange, on aurait dit qu'elle se traînait. Lorsqu'elle s'est approchée, j'ai remarqué ses cheveux hirsutes et son bras immobile qu'elle tenait serré contre elle, comme un enfant.

La femme s'est arrêtée et nous a dévisagées une à une. Puis, la bouche déformée par un affreux rictus, elle a pointé ma sœur du doigt avant de se mettre à hurler. J'ai sursauté, les hirondelles se sont figées, horrifiées. Le petit groupe s'est resserré, faisant tanguer le pont.

— Avancez ! a crié Pascual de l'autre côté.

Affolée, je me suis dépêchée de le rejoindre.

Cette sorcière valait tous les récits d'Abuela. Aujourd'hui encore, je ne parviens pas à oublier son visage.

La nuit tombait doucement sur les montagnes. Nous marchions toujours. Verrait-on le bout de ce voyage ? Rien n'était moins sûr. Il fallait deux jours pour rejoindre Mauléon. Avions-nous déjà parcouru la moitié du chemin ? Mes jambes étaient faibles, mes bras douloureux. J'avais les pieds en sang, je n'allais pas pouvoir aller plus loin. Quand un homme en tête du cortège s'est mis à siffler. Une lampe brillait au fronton d'une cabane isolée. Un refuge d'altitude. L'heure du repos.

Voilà bientôt douze heures qu'on était partis. Pères, frères et cousins des jeunes filles nous ont abandonnées, emportant avec eux les mulets. Ils n'iraient pas plus loin. Quelques larmes, pas d'embrassades. Juste une main sur une épaule, un signe du menton pour nous souhaiter bonne route. La frontière était là. On a dîné de quelques haricots, avant de nous pelotonner dans nos lainages en attendant l'aube.

Aux premières lueurs, la courte nuit avait laissé son empreinte sur les visages. Seule Alma avec son sourire allègre ne semblait pas accuser la fatigue. Ce soir, nous serions à Mauléon, m'a-t-elle soufflé en glissant sa main dans la mienne. Abuela serait fière de nous ! La ville s'écrivait dans son esprit en lettres lumineuses. Son enthousiasme était contagieux. Je me suis levée, impatiente d'arriver enfin.

Mais le plus dur restait à faire. Les anciennes nous ont mises en garde. À Belagua, la Guardia Civil guettait. Il fallait faire un détour pour éviter les gendarmes, emprunter un chemin plus discret mais plus dangereux.

Dans la pénombre de ce matin d'automne, une longue chaîne s'est formée le long du ravin. La route était étroite et les hirondelles se suivaient, petites silhouettes fragiles courbées face au vent. Je me suis rangée derrière Pascual pour me protéger des bourrasques. Le berger se retournait de temps à autre pour s'assurer que nous tenions bon. Je lui offrais un sourire timide, grelottant sous ma cape. Ma jambe pesait une tonne.

— Côté espagnol, la route est mauvaise, a crié Carmen, mais côté français, c'est encore pire !

Les baluchons étaient lourds, la route escarpée couverte de neige. Dans le brouillard, le bord du chemin n'était pas visible à plus d'un mètre. Au-dessus de nos têtes, les aigles tournoyaient, si proches qu'on aurait pu les toucher.

Nous avons marché un long moment en silence. Les hirondelles comme un chapelet de perles noires le long des gorges. Vaillantes, concentrées. Utilisant tantôt nos mains, tantôt celles des autres pour progresser. Soudain, Pascual s'est arrêté, le nez au vent. Des nuages noirs s'amoncelaient sur les hauteurs.

— Il faut se mettre à l'abri ! a-t-il crié, la main sur son chapeau.

J'ai scruté les montagnes à travers le rideau de pluie qui affolait les arbres. La roche à pic, quelques sapins épars. Et ce ciel sombre qui nous engloutissait.

— Où ça ? j'ai hurlé.

Une bourrasque a emporté ma question. Le tonnerre a éclaté aussitôt, répercuté en écho dans la montagne. Une déflagration.

Pascual m'a montré du doigt ce qui semblait être une bergerie en contrebas. J'ai fait signe à Alma qui me tenait la main. La pluie a redoublé d'intensité. Nous nous sommes mises à courir, tresses au vent, baluchons sur la tête, prenant garde de ne pas glisser. J'enrageais contre ma jambe qui entravait mes mouvements. La route étroite descendait le long du ravin et les graviers glissants ralentissaient notre avancée.

Je me suis arrêtée pour reprendre mon souffle. Plus bas, Pascual nous a fait signe. Il fallait accélérer. Pressée de le rejoindre, j'ai lâché la main de ma sœur afin d'avancer plus vite. Un éclair a zébré le ciel, suivi immédiatement par un grondement de tous les diables. Soudain, une roche s'est détachée de la montagne. Des pierres sont tombées dans un fracas de poussière, faisant sursauter les hirondelles. Toutes se sont arrêtées juste à temps devant le gouffre qui s'ouvrait sous leurs pieds. Toutes sauf une. Alma a poussé un cri, déséquilibrée par son paquetage. Sa main a cherché un appui, en vain.

Et elle a disparu, emportée dans le vide.

4

— Avance, Rosa ! Avance, je t'en supplie ! a crié Pascual en me serrant dans ses bras.

Je n'étais plus qu'un long hurlement. Mon corps était inerte. Figé dans une terreur qui ne m'a plus quittée et qui des années plus tard me réveille encore la nuit quand le vent frappe les volets.

Les hirondelles étaient alignées le long du précipice. Horrifiées. Serrées les unes contre les autres dans un sanglot désespéré, elles criaient son nom : « Alma ! Alma ! », penchées vers le ravin, leurs longues jupes malmenées par les bourrasques.

Pascual m'a chargée sur son dos. Il m'a tenue si fort que je ne pouvais plus bouger. Je ne pensais plus au voyage, à Mauléon, à Abuela. Je venais de mourir moi aussi, quelque part dans les montagnes. Je hurlais, épouvantée. Tendue vers le vide qui avait englouti ma sœur et qui m'appelait à mon tour.

Un vide immense.

Impossible à combler.

5

Je n'ai pas vu la ville recroquevillée dans la vallée. Je n'ai pas vu le clocher de l'église, la rivière, les ponts, les maisons de bois. Je n'ai pas senti l'odeur du pain frais tandis que le groupe d'hirondelles remontait la grand-rue. Pas entendu le bruit des sabots ni le roulis chaotique de la charrette qui nous emportait vers notre nouvelle maison.

À notre arrivée, on a glissé mon corps inerte dans un lit. On l'a couvert de lainages, de prières et de chapelets. J'étais si pâle que dans la confusion on a cru un instant que c'était moi qui étais morte dans la montagne.

Ce qui était sans doute un peu la vérité.

6

Un matin, la porte de la chambre s'est ouverte sur la silhouette d'une fillette, un bol fumant entre les mains. Elle marchait lentement, les yeux rivés sur le liquide, de peur d'en renverser.

— Tu dois manger, a-t-elle dit de sa petite voix.

Derrière la fenêtre, les cloches de la Toussaint rendaient hommage aux morts. Un mois que j'avais quitté mon village.

— Goûte, c'est bon. Maman l'a faite pour toi.

J'ai détaillé la fillette minuscule qui me scrutait dans la pénombre. Regard malicieux, taches de son sur le nez. Elle portait un tablier, des sabots à clous et une robe de laine. Quel âge pouvait-elle avoir ? Elle m'observait, mains croisées dans le dos, avec un mélange de crainte et de curiosité.

— Tu veux voir Gaspard ? a-t-elle demandé soudain, les poings sur les hanches.

Sans attendre de réponse, elle a disparu de la chambre. J'ai fermé les yeux.

Alma. La montagne. La pluie. La scène tournait en boucle dans ma tête. Je pourrais tout aussi bien mourir ici, me disais-je, pour ce que ça changerait.

Tout à coup, dans un vacarme de tous les diables, l'enfant – j'apprendrais qu'elle s'appelait Jeannette – est revenue, une corde à la main. Une forme rose et large l'a bousculée dans un grognement. La bête s'est engouffrée dans la chambre et a fouillé la pénombre de son groin énorme, avant de l'enfouir dans mon bol. Stupéfaite, j'ai fixé l'animal, les yeux ronds. Assise sur le plancher, Jeannette a éclaté de rire. Le cochon a reniflé les draps, mes cheveux, mes pieds. Nous avons ri de plus belle. Mes yeux étaient pleins de larmes, un drôle de chagrin nerveux et hilare.

C'est ce rire qui a interpellé Carmen quand elle est entrée dans la chambre.

— Comment tu te sens ?

Un silence. Qu'est-ce que je pouvais dire ? Je ne voulais plus rien, je ne sentais plus rien, je ne savais pas pourquoi j'étais là. Et surtout, j'avais tué ma sœur.

— Lève-toi, a-t-elle dit.

Je me suis dégagée des couvertures, craintive. Gaspard s'est approché, encombrant, maladroit, et m'a fixée de ses petits yeux noirs. C'était étrange, on aurait dit que la bête m'encourageait. Je me suis accrochée au regard de Jeannette et me suis redressée. Mais ma mauvaise jambe, trop faible, s'est dérobée. J'ai flanché et je suis tombée sur le parquet. La petite fille s'est précipitée pour m'aider.

Carmen a jeté sur le lit une robe noire, un foulard et un tablier.

— Tresse tes cheveux. On nous attend à l'atelier.

7

La tête me tournait un peu quand j'ai passé la porte de la maison. Au loin se dressaient les montagnes.

Un frisson. *Alma, où es-tu ?*

Et Abuela ? Quelqu'un l'avait-il prévenue ? Fallait-il que je lui écrive ? Qui lui lirait ma lettre ? Et où la poster ?

— Avance ! Tu vas nous mettre en retard ! a dit Carmen tandis qu'un petit groupe d'hirondelles se mettait en marche.

Elles étaient une demi-douzaine à vivre dans cette maison. La mort d'Alma ne nous avait pas rapprochées mais leur antipathie s'était muée en indifférence. Je n'allais pas les blâmer. Je ne méritais pas leur sympathie. Ni la leur ni celle de personne.

Le groupe bavardait, l'humeur était légère, impossible d'imaginer le drame qui s'était joué dans les montagnes un mois plus tôt. L'atelier occupait toutes leurs conversations. Il était question du salaire qu'elles toucheraient bientôt et bien sûr, encore et toujours, de leur trousseau.

— Rappelle-toi, m'a dit Carmen, tu as dix-huit ans.

Qui allait le croire ? J'ai acquiescé, minuscule dans ma robe noire, je ne voulais pas la contrarier. J'avais envie qu'elle me serre dans ses bras, me caresse les cheveux, me console. Mais Carmen s'est contentée de vérifier que mes mains étaient propres. J'ai remarqué qu'elle avait grossi. Sa poitrine, sur laquelle battaient ses longues tresses serrées de ruban noir, semblait plus lourde.

Nous avons rejoint le centre-ville. Des vélos, des voitures à cheval et des charrettes tirées par des vaches tentaient de se frayer un chemin au milieu de la foule qui débordait des trottoirs. Je n'avais jamais vu autant d'agitation. Des centaines d'ouvriers, principalement des femmes, convergeaient vers les ateliers.

C'étaient les années vingt, l'âge d'or de l'espadrille. Imagine un peu, Liz, des milliers d'employés dans cette bourgade perdue du Pays basque. Il y avait du travail partout, et pour tout le monde.

Soudain, un bruit de klaxon. Toutes les têtes se sont tournées vers un monstre rutilant. J'étais pétrifiée. *C'est quoi, ce truc ?* Carmen m'a donné un coup de coude.

— Ferme donc la bouche, on dirait un poisson hors de l'eau !

Au volant, un homme dégarni, moustache épaisse, un cigare entre les lèvres.

— C'est une automobile, a lancé Carmen, en réponse à ma question muette. Et lui, c'est le patron.

Un groupe m'a bousculée, je me suis remise en marche. Nous avons convergé en masse vers la rivière. Au bout de la route, un entrepôt immense. Je n'avais jamais rien vu de tel. Même l'église de mon village n'était rien à côté de ce bâtiment. Moi qui m'imaginais un simple atelier de couture ! *Seigneur !* GUERRERO s'affichait en lettres géantes sur le fronton.

Une volée d'escaliers. Une vaste salle éclairée par des fenêtres rondes et hautes. Dans l'air flottait une forte odeur de corde, de tissu et de sueur. Mais plus encore que l'odeur, c'est le bruit qui m'a surprise. Un roulis, comme un géant qui se gargarise.

Deux tables occupaient toute la longueur. De chaque côté, des dizaines d'ouvrières. À droite, les Mauléonaises, chignons hauts et blouses claires, s'affairant sur leur machine à coudre. À gauche, les hirondelles, cheveux tressés et robes sombres, une aiguille à la main. Dans le brouhaha général se mêlaient le basque, le français et l'espagnol.

Carmen s'est dirigée vers un homme qui surveillait, bras croisés, l'activité des piqueuses. Petit, le visage rond et la peau grasse, il portait un béret noir et une blouse à boutons qui laissait entrevoir une large bedaine. *Sancho Panza, le compagnon ventru et grossier de Don Quichotte !* J'ai eu une pensée pour Alma. C'est elle qui m'avait fait découvrir le *Quijote*. J'ai revu son sourire, notre maison, le visage ridé d'Abuela et mon ventre s'est tordu.

— Bonjour, monsieur, a dit Carmen d'une voix affectée que je ne lui connaissais pas. Voici Rosa de Fago. Où doit-elle s'installer ?

Sancho m'a dévisagée, sourcils froncés.

— Pourquoi tu n'arrives que maintenant ? C'est toi, la sœur de la gamine morte en montagne ?

Gorge nouée. Incapable de répondre. Il m'a scrutée de ses yeux sombres en lissant sa moustache.

— Mais t'as quel âge ?

— Dix-huit ans, a répondu Carmen avant que j'aie le temps de retrouver ma voix.

Un silence. Le contremaître n'était pas dupe. Il hésitait. Les centaines de femmes qui s'activaient dans l'usine n'étaient jamais assez nombreuses. Deux cent cinquante mille paires seraient produites cette année. Et le matin même, il avait reçu une commande en provenance d'une mine du Nord. Les ouvriers là-bas usaient une paire par semaine.

Nouveau coup d'œil vers moi. Chétive et pâle, je ressemblais à un faon. Qu'allais-je bien pouvoir produire avec ces mains minuscules ?

— Montre-lui comment on fait et on verra bien ce qu'elle donne, a-t-il finalement grogné.

Carmen a saisi une douzaine de semelles et s'est assise à sa place. Derrière elle s'amoncelaient de lourds rouleaux de toile. Si hauts que les filles semblaient disparaître dans un océan de tissu.

Les Espagnoles étaient payées à la pièce. Huit sous le paquet de cinq douzaines d'espadrilles. Il n'y avait pas de temps à perdre.

8

— Voilà la semelle, m'a expliqué Carmen en saisissant une tresse de jute. Elles sont fabriquées de l'autre côté de l'usine. Nous, on est là pour monter la toile. Le dessus, on appelle ça l'empeigne.

Débit rapide, gestes vifs. Je me concentrais pour tout enregistrer. Surtout les mots. Bien que la langue me soit familière, ce vocabulaire était nouveau. *Tresse. Toile. Empeigne.*

— Un ouvrier distribue les laizes, a-t-elle dit en désignant d'étroits morceaux de tissu. Elles sont classées par tailles. Te trompe pas !

J'ai dégluti. Le bruit m'oppressait, j'avais peur de la décevoir, je n'étais plus certaine que ma place soit ici. De l'autre côté de la salle, Sancho nous guettait.

— Tu seras monteuse, comme moi.

Elle a saisi un dé spécial, comme un gant épais recouvrant la paume de sa main, ainsi qu'une aiguille robuste.

— Et les autres ? j'ai demandé, un œil sur les bêtes noires et luisantes desquelles montait un vacarme de tous les diables.

— Piqueuses.

J'avais été assignée à la tâche la plus pénible. Celle des Espagnoles.

— Tu commences par le côté. Tu fais des petits points serrés. Tu remontes sur le bout que tu plisses et que tu renforces, puis tu fais le talon. Le bout et le talon.

Sous ses mains agiles, le tissu a tourné sur lui-même pour s'attacher à la corde. La semelle est devenue chaussure.

— Le bout et le talon, a-t-elle répété.

Fascinée, je l'observais. Ses mains qui volaient autour du fil. Le mouvement m'hypnotisait.

Carmen m'a désigné une paire de semelles.

— À toi.

Déjà ?

— Je ne…

Carmen m'a jeté un regard qui ne souffrait pas de réponse. Avant de replonger dans son ouvrage.

Comment m'en sortir ? Et tenir la cadence ? Je ne savais même pas coudre un bouton ! Au village, c'étaient Alma et Abuela qui s'occupaient de tout. J'avais compté sur ma sœur pour m'aider, sur ses explications patientes, j'avais imaginé des éclats de rire, des encouragements. Et Sancho Panza qui ne nous lâchait pas des yeux ! Qu'allait-il se passer si je me trompais ? Allaient-ils me renvoyer toute seule en Espagne ?

J'ai cherché la porte des yeux. Une montagne de tissu, ici, là, partout. Des gouffres, des ravins. Des aigles tournoyants. La roche. La neige. Une bourrasque.

Le cri d'Alma quand elle tombe.

Je ne pouvais plus respirer.

Carmen m'a attrapée par le bras et m'a assise de force sur la chaise. A planté ses yeux dans les miens.

— Je réponds de toi. Applique-toi et fais pas de vagues.

9

Une cloche. Les machines se sont arrêtées une à une. Autour, la mer de tissu étale. J'ai déplié mon corps coincé entre la table et le banc en retenant un cri de douleur. Ma mauvaise jambe me lançait. Je pouvais à peine la bouger, ankylosée par ces heures passées assise. J'ai rejoint en boitant la vague de têtes brunes qui se dirigeaient vers la porte.

J'avais cousu cinq paires. Trois seulement étaient vendables. J'avais le sentiment d'avoir été battue sous la planche qu'Abuela utilisait pour frapper les draps au lavoir.

En un instant, la grand-rue s'est remplie d'une foule d'ouvriers qui débordait des trottoirs. Carmen marchait d'un pas décidé vers la boulangerie. J'avais du mal à la suivre.

— Avance ou on va faire la queue des heures !

À l'intérieur, des baguettes dorées, des viennoiseries brillantes, des pâtisseries délicates surmontées d'un nuage de crème. Un émerveillement.

— Un pain, a demandé Carmen. À la règle.

La boulangère lui a remis l'énorme miche de quatre kilos. Puis à l'aide d'un couteau, elle a marqué d'une entaille la règle de bois. Carmen paierait dimanche, après avoir reçu son salaire.

Caché dans les jupes de sa mère, un petit garçon m'a montrée du doigt. Avant d'agripper l'un des rubans au bout de mes tresses et de tirer dessus. J'ai sursauté, furieuse.

— *Hijo de…*

— Laisse-le ! a ordonné Carmen, coupant court à l'espagnol fleuri qui affleurait à mes lèvres.

J'avais beau être jeune, mon répertoire d'insultes aurait fait rougir un curé.

— Au suivant ! a hurlé la boulangère.

J'ai serré les dents, épuisée. Il nous fallait encore marcher jusqu'à la haute ville. Sur le ciel gris se dessinait la silhouette sombre des montagnes. J'ai détourné les yeux. J'avais toujours cette boule dans la gorge qui menaçait d'exploser à chaque instant. Qu'est-ce que j'allais devenir ici ?

— Rosa ! Rosa !

Les joues rouges, Jeannette s'est jetée à mon cou. Ses doigts étaient pleins d'encre. Une femme âgée la suivait, un livre à la main. Cheveux de neige, des yeux vifs et chaleureux. *Abuela.*

— Mademoiselle Thérèse, je vous présente Rosa ! Elle habite chez nous ! a lâché la petite en français.

Je ne comprenais pas. J'ai baissé la tête, mal à l'aise. L'institutrice m'observait derrière ses lunettes.

— Comment t'appelles-tu ? a-t-elle demandé en basque.

J'ai jeté un coup d'œil au livre qu'elle tenait à la main. Sur la couverture, une petite fille et un loup.

Le même que celui qu'Alma avait emporté dans son paquetage. Un signe ? Mon visage a dû s'éclairer car l'institutrice m'a demandé :

— Tu sais lire ?

Je l'ai regardée, je n'avais pas envie de répondre, je voulais juste qu'elle continue de parler. Son timbre était doux, apaisant, sa diction précise. Mais déjà Carmen m'appelait, impatiente de rentrer. J'ai salué la vieille dame d'un signe de tête avant de disparaître dans une ruelle, Jeannette sur mes talons.

10

Nous étions six dans ce qu'on appelait la maison des Espagnoles. Le patron de l'usine avait un accord avec les parents de Jeannette qui, comme d'autres à Mauléon, hébergeaient des hirondelles pour se faire un peu d'argent.

Dans la mansarde, trois lits, un seau, une table où traînait un bougeoir. Autour de la cheminée, les petits tabourets formaient une ronde. Ça sentait bon le feu de bois, les oignons et la soupe.

Les hirondelles bavardaient, les traits tirés. Les journées étaient longues. De sept heures du matin à sept heures du soir. Six jours par semaine. Après l'usine, la plupart travaillaient encore pour gagner davantage. Amelia, treize ans, allait dans les maisons pour cirer les parquets. Maria, seize ans, s'affairait au lavoir. Madelon, quinze ans, faisait des ménages. Chacune son histoire, mais une seule règle : accepter les tâches les plus difficiles et ne jamais se plaindre.

Je les observais, petites et frêles à la lueur du feu de cheminée. Certaines étaient très belles. Bien plus belles que moi, avec ma jambe de travers et mon corps de gamine. Les Mauléonaises enviaient aux Espagnoles leur chevelure épaisse, brillante, d'un noir de jais, séparée par une raie au milieu. Pour l'entretenir, elles la lissaient le soir avec la moelle des os, comme de la brillantine. J'essayais de les imiter, malhabile.

Le dîner terminé, les hirondelles ne se sont pas fait prier pour se glisser dans leur lit. J'étais exténuée. Cette première journée m'avait vidée du peu d'énergie que les montagnes ne m'avaient pas prise. Je grelottais sous la maigre couverture que je partageais avec une autre fille.

Qu'allais-je devenir ici ?

Je ne pouvais pas imaginer rester en France sans ma sœur. Qui allait veiller sur moi ? Carmen ? J'avais besoin que quelqu'un me prenne dans ses bras, me rassure. J'aurais donné n'importe quoi pour me blottir contre Abuela. Elle me manquait terriblement. Comment rentrer en Espagne ? Qui me raccompagnerait ? À l'idée de retraverser les montagnes, le ravin, le pont des Enfers, les ombres me griffaient, mon cœur s'emballait. Je me suis recroquevillée et mes larmes ont ruisselé sur les draps. J'ai prié en silence, les mains croisées. *Seigneur, ramenez-moi chez moi, je vous en supplie.* J'ai fermé les yeux à m'en écraser les paupières. Je me disais que quand je les rouvrirais tout ça n'aurait été qu'un mauvais rêve. *Seigneur, ayez pitié.* Le cri d'Alma me transperçait la cervelle. J'ai ouvert les yeux, le souffle court, étranglée par les sanglots que j'essayais d'étouffer dans le matelas de laine.

— Rosa !

J'ai sursauté. Tenté de faire silence, trahie par les secousses de ma poitrine.

— Rosa, faut que tu dormes.

Carmen chuchotait de l'autre côté de la chambre. Je tendais l'oreille, immobile, à l'affût d'un mouvement. Dans la cheminée, quelques braises scintillaient. J'avais envie qu'elle se glisse dans mon lit, qu'elle m'enlace et murmure à mon oreille comme le faisait Alma après un mauvais rêve. J'hésitais, j'avais envie de la rejoindre. Mais la chambre semblait immense, si je posais mon pied par terre une main crochue allait s'en saisir et…

— Tu dois rester ici, Rosa, a-t-elle ajouté. Tu ne trouveras personne pour te conduire en Espagne avant le printemps. Rosa, tu m'entends ? Il faut que tu travailles, et ensuite tu rapporteras l'argent à Abuela.

J'ai sangloté de plus belle, en silence cette fois. Le seul nom d'Abuela avait suffi à redoubler mon chagrin.

Alors Carmen s'est décidée à sortir de son lit. Ses pas sur le parquet. Son souffle près de mon visage. J'ai imaginé qu'Alma était là.

— Ça suffit maintenant ! J'ai envie de dormir et tu fais trop de bruit. Imagine ce que ta sœur penserait en te voyant comme ça ! Ne lui fais pas honte !

Je me suis mordu les lèvres en tentant de refouler un sanglot. En vain.

— C'est moi ! C'est moi qui ai insisté pour qu'on vienne ici ! Elle ne voulait pas ! Elle est morte à cause de moi !

Je n'étais plus qu'une longue plainte. Mais Carmen n'avait pas l'intention de me consoler.

— Et tes larmes ne la feront pas revenir ! Dors maintenant. Demain sera un autre jour.

11

Déjà une semaine que j'avais rejoint l'atelier. Mes gestes étaient plus précis, je cousais de plus en plus vite. À midi, nous étions des centaines à nous presser devant le grand portail, impatientes de rejoindre la haute ville pour déjeuner. Quelques galettes de maïs, un peu de lard ou de morue, un œuf les jours de fête. Les journées étaient pénibles et se terminaient toujours autour de la cheminée à parler d'amour. Les unes rêvaient à leur fiancé, là-bas en Espagne, les autres regardaient les ouvriers français avec envie.

Quant à moi, mes nuits étaient peuplées de cauchemars. La veille, Alma était venue s'asseoir au pied de mon lit. Le cœur battant, je l'avais interpellée. Où étais-je censée trouver la force de continuer ? Elle m'avait regardée longuement en souriant. Je lui avais caressé la main. Sous mes doigts, une drôle de sensation. Comme de la fourrure. L'instant d'après, elle avait disparu.

Et puis le jour de la paie est arrivé. Patiemment, les filles ont fait la queue devant le bureau. Quand mon tour est arrivé. Sancho, la bedaine coincée derrière le bureau, m'a tendu quelques pièces avant d'agiter la main.

— Suivante !

Carmen s'est interposée.

— Il manque deux sous.

— Il manque rien ! Elle est nouvelle et coud moins vite que les autres, son travail est moins bon.

Carmen n'a pas bougé.

— Un problème ? a-t-il demandé, mauvais.

— Elle a cousu deux fois plus de paires que ce que vous payez.

Les yeux de l'hirondelle luisaient dans le clair-obscur de l'atelier.

— Au suivant ! a-t-il crié.

Nous avons patienté un long moment dehors, Carmen semblait décidée à ne pas en rester là. Son regard déterminé forçait mon admiration. Secrètement, j'avais envie de lui ressembler.

Carmen était soucieuse de ce que j'allais gagner. Depuis notre arrivée, j'étais en dette. Nourriture, loyer, chauffage. Les autres payaient pour moi. Et attendaient de récupérer leur mise.

L'atelier s'est enfin vidé.

— Attends-moi là, a-t-elle ordonné.

Je me suis assise sur une pierre. Une bourrasque glacée s'est glissée sous ma robe. J'ai serré mon châle sur mes épaules.

— Est-ce qu'il fait aussi froid en Espagne ?

Derrière moi, emmitouflée dans une peau épaisse, la vieille institutrice aux cheveux de neige me souriait.

— Je donne des cours de français le soir, a-t-elle dit en désignant l'école un peu plus loin. Tu es la bienvenue.

J'ai hésité, je ne savais pas quoi répondre. À quoi ça allait me servir ? La lecture, c'était Alma. Mon truc à moi, c'était le dessin.

— Tiens, c'est pour toi.

L'institutrice a tiré de son cartable un livre d'images. Qu'elle m'a tendu. À chaque page, des mots en français illustrés d'une aquarelle. *Vache. Tomate. Chaise. Nuage.*

— Merci.

— J'en ai d'autres qui te plairaient.

Mlle Thérèse m'a saluée, puis elle est partie. J'ai détaillé les dessins pastel, naïfs et joyeux. Sans que je puisse expliquer pourquoi, ce livre me faisait du bien.

Soudain, un miaulement. Un petit cri aigu et faible. J'ai scruté les alentours, quelques touffes d'herbe, une vieille charrette à bras. Me suis approchée. Sous la roue, un chaton. Si noir que j'ai d'abord eu du mal à le distinguer. Dans la pénombre brillaient deux petits yeux dorés. Je me suis mise à quatre pattes et l'ai attiré délicatement à moi avant de caresser sa tête minuscule du bout des doigts. Il a poussé un miaulement plaintif.

— T'as faim, pas vrai ?

Il a grignoté mon doigt de ses petits crocs. Son corps était si maigre que je pouvais compter ses os. J'ai observé ses pattes, patins de fourrure délicats, sa truffe rose, ses yeux brillants, ses oreilles… Seigneur, il lui en manquait une ! Le chaton me fixait, tête penchée sur le côté, comme pour dire : *De quoi j'ai l'air ?* Malgré son infirmité, ses moustaches lui donnaient un air distingué. On aurait dit un chevalier plein de panache. Un peu bancal, mais un chevalier quand même. J'ai repensé à la gravure qui ornait la salle de classe, là-bas en Espagne. Un grand échalas sur sa monture, lance à la main, flanqué d'un petit bedonnant sur un âne. Et cette moustache rebondie qui me fascinait. *Don Quichotte de la Manche ! Voilà comment je vais t'appeler !* Je lui ai gratté doucement la gorge. Le chaton noir s'est mis à ronronner.

Je me suis mise à rire en pensant à cet abruti de Sancho, l'imaginant déambuler dans l'atelier sur sa mule, avant de réaliser que Carmen n'était toujours pas revenue. J'ai glissé le chaton dans ma blouse et grimpé les escaliers quatre à quatre. L'atelier était plongé dans le noir. J'ai reconnu la silhouette de l'hirondelle. Qui se débattait. Une bouche vorace plongeait dans son cou tandis que des mains courtes et épaisses enserraient ses poignets.

— Épouse-moi…, a grogné une voix.

— Lâchez-la !

J'ai bondi sur l'homme, plantant mes dents dans son bras. Un hurlement. Suivi d'une claque brutale. Qui m'a assommée. Carmen m'a relevée avant de m'entraîner dehors.

— Sales Espagnoles ! a éructé Sancho. La grosse et la boiteuse, vous ne valez rien !

12

Les jours passaient lentement entre l'atelier et la maison. La perspective de la messe de Noël, des décorations et de la crèche colorée enthousiasmait les hirondelles. Don Quichotte avait pris du poids. Craintif, il ne quittait jamais mes genoux. Je le nourrissais avec un peu de lait et quelques bouts de morue séchée. La journée, à l'atelier, je le cachais dans ma blouse.

Trois jours plus tôt, j'avais rejoint le cours de Mlle Thérèse. Abuela me manquait, et instinctivement je m'étais mise en quête de la vieille dame. Elle était occupée à écrire la date du lendemain au tableau quand j'avais toqué à la porte. Elle avait souri, m'avait invitée à m'asseoir. J'étais seule dans la classe qui sentait la craie et la cire. De toute évidence, les cours de l'institutrice n'attiraient pas les foules. Je n'avais pas dit un mot. Elle s'était mise à me faire la lecture, traduisant certaines phrases, m'observant derrière ses lunettes rondes. Sur un mur, le dessin de la petite fille et du loup. Au milieu des livres, je retrouvais mon souffle.

À mon retour, Carmen m'avait toisée du regard. Mauvaise. « Où t'étais ? » avait-elle demandé. J'avais bafouillé. Désigné le livre sous mon bras. C'était pour Jeannette. Elle l'avait oublié et… Carmen m'avait fixée longuement. « N'oublie pas qui tu es, Rosa. Et qui t'a tendu la main. » J'avais hoché la tête vivement. Carmen était la plus âgée. La plus expérimentée aussi. Il fallait lui obéir. Les Espagnoles étaient là pour travailler. Pas pour fréquenter des Françaises pendant que les autres s'escrimaient à laver leurs culottes.

Mais il m'en fallait plus pour me décourager. Chaque soir, indifférente au bavardage des filles, je me repassais la leçon du jour en silence. *Vache. Tomate. Nuage.* Me concentrais pour ignorer le bruit autour. *Trousseau. Broderie. Mariage.* Ces mots-là ne m'intéressaient pas. *J'ai. Tu as. Il ou elle a.* J'apprenais vite. Les leçons m'occupaient la tête. M'empêchaient de penser à Alma.

Et puis un soir, le silence m'a tirée de mes pensées. *Hibou. Chou. Caillou.* Quelque chose clochait. *Bijou. Genou. Pou.* Les filles riaient un peu moins, à moins que ce ne soit l'air grave de Carmen qui plombait l'ambiance ? Elle semblait tendue. L'église a sonné huit coups. Les filles se préparaient à dormir.

Nous étions deux par lit, tête-bêche dans la mansarde. Une fois les restes du dîner débarrassés, nos mains et nos visages lavés, on a soufflé la bougie. Quelques minutes après, des ronflements sont montés dans le noir.

Les mêmes questions ne cessaient de tourner dans ma tête : combien d'argent pourrais-je mettre de côté d'ici le printemps ? Serait-ce suffisant pour nous nourrir Abuela et moi jusqu'à l'automne suivant ? Sûrement pas si cet affreux Sancho persistait à me payer moins que les autres ! Et comment endurer encore six longs mois assise ? Je massais ma jambe chaque soir, mais elle était moins mobile qu'à mon arrivée. Et parmi toutes ces questions, l'une d'elles m'obsédait encore davantage : aurais-je le courage de retraverser les montagnes au printemps ? Le souvenir d'Alma emportée dans le gouffre tenait ma poitrine en étau.

Soudain, la porte a grincé. J'ai ouvert les yeux. Une silhouette sombre. Qui a enfilé sa cape et disparu dans l'escalier. *Qui est-ce ? Et où peut-elle aller ?* À la faveur d'un rayon de lune, j'ai reconnu Carmen. J'ai hésité.

Nous n'avions pas reparlé de ce qui s'était passé dans l'atelier. La première paie. Sancho. Carmen s'était contentée de me faire la morale : à l'avenir, j'étais priée de ne pas me mêler de ses affaires. Pourtant, ce soir-là, quelque chose – était-ce la manière dont elle avait pris soin de moi ces semaines passées, ou mon caractère déjà bien affirmé ? – m'a poussée à la suivre. Et un instant plus tard, je me suis retrouvée dehors. Au même moment, Carmen disparaissait au coin de la rue.

J'ai pressé le pas, essayant de me faire le plus discrète possible. Mais quand je suis arrivée devant l'église, personne.

— Pourquoi tu me suis ?

J'ai poussé un cri, une main sur le cœur.

— Tais-toi donc ! a aboyé Carmen.

Elle tremblait.

— Jure-moi de ne rien dire.

— Je le jure.

Liz, à ce stade, mon cœur battait à mille à l'heure et j'étais prête à jurer n'importe quoi pourvu qu'elle me raccompagne à la chambre. Carmen me fixait. Un débat intense faisait rage dans sa tête. Pouvais-je l'accompagner ou non ? J'ai reconnu ce regard fier qui brillait à l'atelier le jour où Sancho avait posé les mains sur elle. Une larme a roulé sur sa joue.

— Ce n'était qu'une fois, avec Luis ! Le dernier soir, au village ! Il m'a promis qu'il m'attendrait…

Et elle a fondu en sanglots. De quoi parlait-elle ? J'essayais de la réconforter. Nous nous sommes mises en marche. La nuit était sombre, les ruelles humides. J'avais froid.

Au bout de ce qui m'a semblé une éternité, nous nous sommes arrêtées devant une maison étroite éclairée d'une lanterne. Carmen a pris une grande inspiration et toqué trois coups discrets. La porte s'est ouverte. La pénombre nous a englouties.

Je ne me souviens pas de l'adresse ni des mots prononcés.

Seulement du sang, des cris, et des aiguilles à tricoter.

13

Carmen boitait un peu à son retour à l'atelier. Sancho l'a déshabillée du regard quand elle a accroché sa cape à la patère, inconscient du drame qui s'était joué une semaine plus tôt.

Le quotidien a repris son cours, rythmé par le bruit des machines, de la cloche et de la messe. Aucun mot n'avait été prononcé. Ni par moi ni par Carmen, qui jusqu'à sa mort ferait comme si cet événement n'avait jamais eu lieu.

Pendant sa courte convalescence, les filles et moi avions travaillé double pour compenser son absence. Je cousais à présent aussi vite que les autres. La tresse, l'empeigne, le bout et le talon. Je pensais nuit et jour à mon retour. Le souvenir d'Alma ne s'effaçait pas et je mettais toute ma colère dans cette aiguille qui transperçait inlassablement la corde.

Heureusement les cours que me donnait Mlle Thérèse après le travail illuminaient mes journées même les plus épuisantes. J'avais progressé en français et je pouvais maintenant aider Jeannette à faire ses devoirs. Je profitais de la pause déjeuner pour me plonger dans quelques lectures simples que m'offrait l'institutrice. Les *Contes* de Perrault. Les *Fables* de La Fontaine. De cette vieille dame, je ne connaissais que son parfum (jasmin et fleur d'oranger), le soin qu'elle apportait aux livres (qu'il était interdit de corner), l'élégance de son écriture, son goût pour le thé noir (sans sucre, sans lait) et son affection pour les chats (elle était la seule à part moi par qui Don Quichotte acceptait de se faire caresser, ce dont j'étais un peu jalouse, sans bien savoir pourquoi).

Un matin à l'atelier, une Française a pris place près de moi. J'ai cru qu'elle s'était trompée. D'habitude, Espagnoles et Mauléonaises ne se mélangeaient pas.

Un nez fin, des yeux verts en amande, des pommettes hautes et saillantes. Sur sa joue, un grain de beauté. Un chignon clair était posé comme un nid sur son crâne. Sa taille fine et ses seins ronds étaient avantagés par un décolleté audacieux. Tant de beauté ! J'étais soufflée.

Elle s'est tournée vers moi avec un air mutin.

— T'es nouvelle ici ?

Elle devait avoir vingt ans. Et s'adressait à moi en français.

J'ai cherché Carmen du regard. Qu'allaient penser les autres en me voyant parler avec une fille d'ici ? Mais chacune était affairée sur son ouvrage.

— Tes points sont trop larges, a-t-elle dit. Ils te paieront plus si tu travailles mieux.

Puis sans que j'aie le temps de réagir, elle a saisi l'espadrille sur laquelle je m'activais et m'a montré comment faire. Décidément, cette fille était douée.

— T'es ici depuis longtemps ? j'ai demandé à mi-voix.

— Non, quelques mois. Mais j'aimais déjà coudre avant.

Dans ses yeux, une lueur sombre.

— Je suis échantillonneuse. C'est moi qui fais les espadrilles qu'on envoie pour démarcher le client. Faut que ce soit propre et soigné.

Elle avait un accent étrange, une drôle de gouaille. J'ai détaillé ses mains agiles, ses bras musclés, tandis qu'elle perçait la sandale de sa grosse aiguille avant de tirer sur le fil. En moins de temps qu'il n'en faut pour le dire, elle avait déjà terminé la plus belle paire que j'avais jamais vue.

— Mais tout le monde sait que ce sont les Espagnoles qui travaillent le mieux, a-t-elle ajouté.

Je suis retournée à mon ouvrage, mais elle avait envie de parler.

— T'habites la ville en bois ?

— Non, dans la haute ville, j'ai chuchoté. Et toi ?

Coup d'œil aux Espagnoles. L'une d'elles nous observait. J'ai baissé la tête aussitôt.

— Chéraute. Tu connais ?

J'avais vaguement entendu parler de ce village voisin de Mauléon. J'ai hoché la tête.

— Oui, l'institutrice habite là-bas.

— J'habite avec elle. La maison aux volets bleus.

J'ai relevé la tête, surprise.

— T'habites chez Mlle Thérèse ?

— Elle-même !

— C'est ta grand-mère ?

Elle allait répondre quand Sancho a abattu son poing sur la table. J'ai sursauté, manquant de me transpercer la main avec mon aiguille.

— Silence !

Et là, ma voisine a posé son ouvrage sur la table. S'est tournée lentement vers lui. A planté ses yeux dans ceux du contremaître avec aplomb.

— Nous sommes payées à la pièce, monsieur. Mais certainement pas pour nous taire.

Je ne respirais plus. Attentive au poing serré du gros bonhomme, j'ai cru voir sa dernière heure arriver. Il l'a fixée pendant une éternité. Sans qu'elle baisse les yeux. Puis la cloche a sonné. L'heure du déjeuner.

— À tout à l'heure ! a-t-elle lancé à Sancho avant de ranger sa chaise sous sa table.

Et c'est ainsi que Colette est entrée dans ma vie.

14

Quelques jours plus tard, annoncés par un air joyeux, un trombone, une grosse caisse et une trompette ont investi le hangar. À la vue du trio de musiciens, le visage de Colette s'est éclairé. Aux premières notes, mon cœur s'est accéléré. Les trois hommes en béret se sont regardés avant de sourire en coin, ravis de ce gynécée. Le plus maigre, sa grosse caisse attachée autour du ventre, s'est mis à chanter. Dans l'atelier, des sourires, quelques têtes qui se balancent, des souliers qui frappent le sol en rythme. Quelqu'un a dû appeler Sancho, car il a disparu et son départ a sonné le début de la fête.

Les filles se sont levées, avant de se prendre par le bras pour danser. Robes et tresses ont tourbillonné au milieu des machines. Colette la première a soulevé son jupon. Encouragée par les couturières, elle est montée sur la table. Les filles l'ont acclamée.

— *Vale ! Vale !* criaient les Espagnoles.

Et les Françaises de scander :

— Coco ! Coco !

Colette a entamé une chanson à tue-tête, les mains sur les hanches. Un joli brin de voix qui ne valait pourtant pas le spectacle de ses jambes fuselées. Son entrain était tel que bientôt c'est tout l'atelier qui a résonné de nos chants. Partout des rires, des hourras, des bravos. Quel bonheur ! Nous redevenions des adolescentes insouciantes et enjouées.

Quand Sancho est réapparu, l'ambiance est retombée comme un soufflé. Mais la musique avait réveillé ma joie de vivre. Le soir, je chantonnais sur le chemin menant à la maison, Don Quichotte sur mes talons.

En grimpant les escaliers qui montaient à notre chambre, j'ai entendu un sanglot. La journée avait été si gaie que j'ai cru m'être trompée. J'ai poussé doucement la porte. Les filles entouraient Carmen, son visage déformé par le chagrin. *Que se passe-t-il ?*

— As-tu prévenu Luis au village ? a demandé doucement Amelia. Il sera heureux, j'en suis sûre !

Carmen a secoué la tête. Les larmes ont dévalé ses joues sombres.

— Comment veux-tu qu'il m'épouse si je rentre avec un enfant à la place d'une dot ?

Je n'arrivais pas à suivre. Quel enfant ? Puis voyant la main de Carmen posée sur son ventre, j'ai blêmi. La nuit des aiguilles n'avait donc servi à rien ?

Les filles se sont tues. Elles connaissaient la dure loi des hommes. De l'honneur. De l'Église. Je me suis agenouillée près d'elle. Que pouvais-je dire pour apaiser son chagrin ?

— Je suis sûre que ce sera un beau bébé, j'ai soufflé.

Carmen s'est redressée.

— Un beau bébé ! m'a-t-elle imitée d'une voix grotesque.

Elle tremblait.

— Non mais écoutez-la ! Qu'est-ce que t'en sais, hein ? Pauvre folle ! Madame va à l'école, madame fréquente les Françaises, alors elle se croit plus intelligente que nous autres, c'est ça ?

J'ai rougi, bafouillé quelques mots, incrédule devant cette agressivité soudaine. Carmen a pointé vers moi un doigt accusateur.

— C'est toi ! Avec ton maudit chat noir ! C'est ta faute s'il est toujours là ! a-t-elle craché en frappant son ventre. Tu nous portes malheur ! Alma est morte et maintenant je suis pleine !

J'ai écarquillé les yeux, incapable de bouger.

— Qui sera la prochaine ? Toi, Amelia ? Ou toi, Maria ? Qui va partager son lit avec le diable cette nuit ?

Amelia a blêmi. Maria a étouffé un cri. Madelon s'est signée.

— Va-t'en ! a hurlé Carmen, l'écume aux lèvres.

J'ai reculé, manquant de tomber.

— Va-t'en ! ont crié les autres en bondissant vers moi.

J'ai dévalé les escaliers quatre à quatre. Dehors, la nuit, les ombres, le froid. Je ne reconnaissais plus les rues, les maisons. *Où aller ?* Le chaton serré contre moi, je me suis enfoncée dans une ruelle. J'ai essuyé mon nez dans ma manche avant de sangloter à nouveau. Et si Carmen disait vrai ? Et si tout était ma faute ? Je me suis mise à courir malgré ma jambe boiteuse. De plus en plus vite. Envie de hurler. Soudain, une automobile a déboulé. Un crissement de pneus. Prise dans les phares, je me suis figée, le cœur battant. Avant de reprendre ma course échevelée.

J'ai marché un long moment. Traversé la ville, le pont, longé la rivière et la longue route dans la campagne. Jusqu'à Chéraute, et la maison aux volets bleus. J'ai tambouriné à la porte. Elle s'est ouverte. À la lueur de la bougie, le visage de l'institutrice m'a semblé plus ridé. Derrière mes larmes, j'ai cru voir Abuela. Avant de m'effondrer.

15

Nous avons franchi une porte, puis une deuxième. Je n'avais jamais vu une telle maison. Derrière une façade discrète, une cour pavée conduisait à une bâtisse plus imposante, à l'abri des regards. Au milieu de la cour, une femme de pierre aux cuisses rondes, une cruche à la main, à moitié nue.

Les joues humides, j'ai suivi l'institutrice à l'intérieur.

Je ne sais pas ce qui m'a le plus impressionnée. Le lustre à pampilles, les rideaux de velours, les potiches chinoises, les girandoles, les torses antiques posés sur la cheminée, les tapis en soie ou le piano à queue.

C'est Colette qui m'a vue la première. Elle s'est précipitée vers moi et m'a enlacée. Dans l'air flottait une odeur de tabac et d'eau de toilette. Qu'est-ce que je venais faire ici ? m'a-t-elle demandé, visiblement ravie de mon arrivée. Vêtue d'un peignoir satiné, elle tenait à la main une coupe de champagne, de l'autre une cigarette qu'elle a posée pour caresser le chat. Près d'une méridienne, une femme plus âgée l'attendait pour une partie de cartes. Grande et brune, un port altier, des mains fines, une mise en plis parfaite, quelques rides au coin des yeux. On aurait dit une reine.

— Je vous présente Rosa, a dit Mlle Thérèse.

La reine a soufflé un nuage de fumée et m'a dévisagée.

— Rosa, a poursuivi l'institutrice, je te présente Marie-Claude.

— Véra, l'a corrigée l'autre sans me quitter des yeux.

— Véra, a répété l'institutrice.

Liz, de ma vie je n'avais rien vu de plus beau que ces deux femmes dans ce salon. On aurait dit une peinture de maître. Chaque détail de cette composition semblait avoir été minutieusement pensé. Les tissus, les formes, les couleurs. Tout se répondait avec une harmonie étonnante. Le rose de leurs joues ? Un écho aux flammes dans la cheminée. Les yeux verts de Colette ? Nacrés comme les perles autour du cou de la reine.

Échevelée, boiteuse, les yeux gonflés, vêtue d'une robe usée, je me sentais affreuse. Tout dans ce salon n'était que raffinement et volupté.

— Je ne sais pas ce qui t'amène mais tu es la bienvenue, a poursuivi l'institutrice.

— Merci, mademoiselle Thérèse, j'ai reniflé.

— Il est tard, nous parlerons demain. Je vais demander à Lupin de te préparer une chambre.

Elle a agité une clochette en argent – cette clochette, Liz ! – et un homme est entré, un plateau à la main. Dessus, superbe, majestueuse, racée : une théière.

— Lupin, je te présente Rosa.

J'ai poussé un cri. J'ai bien cru mourir sur place, tant son visage m'a épouvantée. Cet homme était noir. Plus noir que la nuit, plus noir que les ombres, plus noir que le précipice qui avait englouti Alma. Ses bras étaient aussi larges que ma tête et ma tête lui arrivait aux hanches. Une montagne croisée avec un cacaotier. Il a souri, révélant une rivière de dents plus blanches que le lait. Puis d'une voix de l'au-delà il m'a demandé si je voulais du thé.

J'ai ouvert la bouche. Muette.

Colette a éclaté de rire avant d'embrasser Lupin et de lever son verre.

— À Rosa ! a-t-elle lancé.

Et c'est ainsi que j'ai rejoint la maison des Demoiselles.

16

Impossible de trouver le sommeil cette nuit-là.

C'était pourtant bien la première fois que je dormais seule dans un lit, Don Quichotte en boule contre moi. Je n'avais jamais connu de sol aussi propre, de matelas aussi épais, d'édredon aussi dodu. Colette m'avait prêté une chemise de nuit. Un tissu fin et doux, brodé de fleurs et de rubans. Je n'osais pas bouger de peur de la froisser.

Dans ma poitrine, mon cœur n'en finissait plus de cogner. Comment avais-je pu susciter tant de colère chez Carmen ? Le bébé n'était pas prévu dans le trousseau, mais de là à me *bannir* ? De quoi étais-je coupable ? Je n'avais trahi aucun secret. J'étais des leurs, ma place était avec elles. J'avais beau fréquenter Colette et l'institutrice, je n'avais rien en commun avec les Demoiselles.

J'ai essayé de fermer les yeux. En vain. L'image de Colette et de la reine Véra s'était imprimée sur ma rétine, si lumineuse qu'il faisait grand jour même dans la pénombre. Qui étaient-elles ? Mlle Thérèse était-elle la grand-mère de Colette ? Et d'abord, qui était Colette ? Nous échangions quelques mots de temps à autre à l'atelier, mais j'étais plus soucieuse d'échapper aux sanctions de Sancho que de savoir d'où elle venait. La vérité c'est que je ne connaissais rien d'elle hormis ses talents de couturière et ses jambes fuselées. La blonde semblait beaucoup trop belle pour être honnête, ne pourrais-je m'empêcher de penser le lendemain en la croisant dans la maisonnée, impudique et dévêtue. Comment autant de beauté et de raffinement avait pu trouver son chemin jusqu'ici ? Mis à part les ateliers d'espadrilles, Mauléon n'était qu'un point de rencontre pour les bergers. Des champs, des vaches, une rivière. Et au milieu de tout ça, une jeune femme et deux vieilles filles, à l'abri des regards indiscrets, accompagnées d'un majordome noir comme la suie et plus haut qu'une cathédrale.

J'apprendrais bien assez tôt l'histoire de Mlle Véra, qui était loin d'être une vieille fille. Vieille certainement. Mais définitivement pas indifférente à la compagnie des hommes, Liz, je peux te l'assurer.

17

— Berrrrnadette !

J'ai ouvert un œil. Posté sur la commode, un cacatoès. Une belle bête blanche, le bec noir, coiffée d'une houppette rose démesurée qui lui donnait un air endimanché.

— Berrrrnadette ! a-t-il répété avant de s'envoler et de se poser sur l'épaule de…

J'ai étouffé un cri. Assise au pied de mon lit, une jeune femme me fixait.

— Mais taisez-vous donc, Gédéon ! a-t-elle ordonné. Vous allez réveiller Mlle Véra !

Gédéon ? J'ai tiré le drap sur moi, gênée. Au pied du lit, Don Quichotte fixait l'oiseau.

— Mon nom, c'est Bernadette. Comme la sainte ! a-t-elle ajouté, goguenarde, en tirant les rideaux. Et lui, c'est le vicomte de Bec-en-Ville. Gédéon pour les intimes.

Elle était petite, brune et trapue. Son visage rond lui donnait un air sympathique. La vingtaine bien avancée, un nez retroussé et des sourcils fournis surmontant deux yeux qui refusaient de regarder dans la même direction.

Elle a ouvert la fenêtre sur un matin d'automne frisquet, ramassé la robe que j'avais déposée sur la chaise. J'ai eu peur que le vicomte n'en profite pour se faire la belle, mais il semblait captivé par notre conversation.

— Mlle Thérèse m'a dit que tu es espagnole. Est-ce que tu comprends ce que je dis ? a articulé Bernadette d'une voix forte.

— Espagnooole ! a crié Gédéon.

J'ai hoché la tête.

— Bah ! Moi j'ai rien contre vous, a-t-elle continué en me tendant une cruche d'eau et une serviette. Pas comme le Robert – Robert, c'est mon mari. Il dit que vous nous prenez notre travail à nous autres et que vous faites trop de bruit.

— Trop de brrruiiiit !

— Tu m'as pas l'air si bruyante que ça, a-t-elle ajouté en me jetant un nouveau coup d'œil tandis que je me débarbouillais. Paraît qu't'es arrivée hier soir ? T'as eu d'la chance que Mam'zelle Thérèse elle t'ouvre, ici y a personne qui rentre normalement. Allez, habille-toi ! Et couvre-toi ! Le brouillard est tellement épais que les moineaux vont à pied.

J'ai enfilé la robe qu'elle me tendait, une pièce en laine bien plus soignée que celle qu'elle emportait pour la laver. Et j'ai rejoint mes hôtes, un étage plus bas.

L'ambiance était plus calme que la veille, mais le décor toujours aussi grandiose. Assise dans la salle à manger lambrissée, l'institutrice m'a souri, ses lunettes sur le nez. À côté d'elle, Colette, le nez dans un grand bol de café, des papillotes sur la tête, Mlle Véra, majestueuse dans un caftan en soie, et puis Lupin, en complet bleu rayé, qui remplissait de confiture toutes sortes de coupelles minuscules.

Je les ai salués timidement. Sur la nappe, porcelaine, couverts en argent, carafe en cristal. Est-ce qu'on attendait la visite du pape ? Bernadette est réapparue avec un plateau sur lequel trônait une tasse de chocolat au lait. Je n'en avais jamais goûté, tout juste si je savais ce que c'était. Les hirondelles ne prenaient pas le temps de manger le matin, on emportait un œuf ou quelques haricots sur le chemin de l'atelier. Je l'ai remerciée comme l'aurait fait une habituée, je voyais bien qu'elle m'observait et j'avais ma fierté. *Manquerait plus qu'elle aille rapporter à Robert que les Espagnoles sont des sauvages.*

Maladroite, j'ai pris place autour de la table, inquiète de tous ces ustensiles que je ne savais pas nommer. L'institutrice m'a souri, j'ai baissé les yeux, je n'avais pas envie qu'elle m'interroge sur la raison de ma venue. La nuit avait été courte, j'avais une boule au ventre à l'idée de retrouver Carmen et les autres.

— Le comte de Plessis se marie ! s'est exclamée Colette, le nez dans son journal. Et vous ne devinerez jamais avec qui !

Lupin et Véra ont levé la tête, visiblement intéressés.

— Joséphiiine ! a répondu Gédéon.

La jolie blonde lui a jeté une serviette.

— Colette, où as-tu déniché ce journal ? s'est alarmée l'institutrice. Je croyais qu'on était d'accord pour que tu ne…

— Lucie de Sanges ! l'a-t-elle coupée, électrisée. Moi qui croyais qu'elle était encore au théâtre des Variétés !

Lupin a jeté un coup d'œil discret à Mlle Véra. Qui s'est raidie.

— Voulez-vous une autre tisane ? s'est empressée de demander Bernadette.

— Ou une orange pressée ? a renchéri Lupin.

Mlle Véra a refusé d'un geste de la main avant d'allumer une cigarette. Décidément, la reine bénéficiait de beaucoup d'égards.

La pendule du salon a sonné, immédiatement imitée par le cacatoès – du coup, impossible de savoir quelle heure il était. Colette a grogné en sortant, avant de réapparaître quelques instants plus tard dans une robe simple mais parfaitement ajustée. Belle comme le jour qui n'était pas encore levé.

J'ai salué tout le monde avec chaleur, les remerciant pour leur accueil. Cette parenthèse avait été agréable – farfelue, épatante, saugrenue – mais ma place était auprès des hirondelles.

Devant la maison, une voiture nous attendait. Un monstre rutilant comme celui du patron de l'atelier, d'un jaune moutarde du plus bel effet. Liz, il faut dire qu'à l'époque les automobiles avaient du panache ! Je revois encore celle-là, son long museau étroit, son volant en acajou et sa banquette étroite qui sentait le cuir. Adossé au capot, un homme de petite taille, le nez épaté, un cure-dent au coin de la bouche et une drôle de cicatrice qui courait de l'œil à la joue.

— 'jour ! a-t-il lancé en portant deux doigts à sa casquette sans toutefois se décoiffer.

— Salut, Marcel, a répondu Colette avant de poser un pied agile sur le marchepied.

Il m'a observée avec un air étrange qui m'a mise mal à l'aise. J'ai hésité, jeté un œil à Lupin, qui depuis la porte m'a saluée d'un signe de tête. Je suis montée, le moteur a pétaradé, et l'automobile s'est mise en branle. Je devais faire une drôle de tête car Colette a lâché :

— L'important c'est d'avoir l'air blasé.

Elle a passé le bras par la portière et s'est mise à fumer afin que tout le monde puisse l'admirer. Son parfum entêtant se mêlait aux odeurs fraîches des herbes et des fourrés.

— Alors dis voir, qu'est-ce qui t'est arrivé ?

Le souvenir de la veille – les yeux de Carmen, sa rage, ses cris – m'a glacée. Marcel m'a jeté un œil dans le rétroviseur.

— Les Espagnoles m'ont flanquée à la porte, j'ai balbutié.

Colette s'est tournée vers moi, amusée.

— Y a un homme là-dessous, pas vrai ?

Nouveau coup d'œil de Marcel. Puis sans me laisser le temps de répondre, elle a ajouté :

— Il y a toujours un homme…

Un soupir. L'automobile a remonté la grand-rue, dépassé l'école, la boutique de modiste. Au loin les Pyrénées assistaient à mon premier voyage en automobile.

— Et toi, comment t'es arrivée là ? j'ai demandé.

La rue se faisait plus bruyante et encombrée. Près de la rivière se dessinait la silhouette des grands entrepôts. J'ai vu que Colette hésitait.

— J'ai suivi Véra ici un jour où je n'avais plus rien à perdre.

Son regard s'est fait lointain. Un silence. Son mutisme inhabituel a aiguisé ma curiosité. Bon Dieu, que pouvait-il bien se tramer dans cette maison ? Je devais insister. Je pressentais une histoire sulfureuse, croustillante, interdite.

La maison des Demoiselles était à moins de trois kilomètres de l'atelier. Je n'avais pas encore trouvé comment relancer poliment mon interrogatoire qu'on était déjà arrivés. J'ai regardé Colette descendre nonchalamment de la voiture – elle était définitivement très douée – et une fois de plus je me suis dit qu'elle était la fille la plus sensationnelle qui puisse exister. Comment une jeune femme si belle, avec un chauffeur, une bonne, des couverts en argent et un perroquet s'était-elle retrouvée à l'atelier ?

Marcel nous a souhaité une bonne journée au moment même où Carmen et les filles apparaissaient au coin de la rue. Je leur ai fait un petit signe. L'air mauvais, elles ont détaillé ma robe et l'automobile. Et détourné la tête.

Devant les portes de l'atelier, Colette a soupiré.

— Pourvu que cet abruti de contremaître ait oublié de se lever !

Dans le hangar, l'équipe des couseuses était déjà presque au complet. Sancho, un crayon sur l'oreille, inventoriait les rouleaux de tissu qui venaient d'être livrés. Autour, le ronflement des machines, les chignons des Françaises, le silence des hirondelles. Carmen.

J'avais réfléchi toute la nuit à ce que j'allais lui dire, mon discours était prêt. J'allais m'excuser de tout, même si ses accusations étaient injustes, peu importait. J'avais besoin d'elles. Elles étaient tout ce qui me restait.

— Carmen, pardonne-moi…

Elle n'a même pas levé la tête.

— Ne me parle pas. Ne m'approche plus, a-t-elle sifflé.

Déstabilisée, j'ai cherché un peu de soutien dans les yeux des autres. En vain.

— Carmen, j'ai insisté, dis-moi ce que je peux faire. Je suis désolée pour le bébé et…

Elle s'est levée d'un bond. La gifle m'a brûlé la joue. J'ai poussé un cri.

— Si tu prononces un mot de plus, un seul, je te tue.

Sonnée, hagarde, la joue en feu, j'ai lutté contre mes larmes. Sancho a détourné la tête, feignant de n'avoir rien vu. Je tremblais. Mon exclusion de la maison des Espagnoles était actée.

Tétanisée, le souffle coupé, j'ai rejoint Colette de l'autre côté de la salle. La blonde a posé une main réconfortante sur mon épaule.

— Ça lui passera, m'a-t-elle dit.

Mais Colette était loin, très loin de la vérité.

18

— Bonjour, monsieur Guerrero ! ont clamé les couseuses en chœur.

Le patron nous a demandé de nous rasseoir. Les machines ont repris leur vacarme. Colette s'est redressée et a tiré sur son décolleté.

— Y a pas d'âge pour l'amour, a-t-elle lâché, malicieuse.

L'air bonhomme, une main dans la poche de son veston et l'autre sur sa pipe, le patron remontait les rangs aux côtés de Sancho.

— Est-ce qu'on peut encore augmenter la cadence ? a-t-il demandé, soucieux de ces commandes qui affluaient de France et d'Amérique, toujours plus nombreuses.

Obséquieux, le chef d'atelier se perdait en périphrases sans queue ni tête. L'autre l'écoutait d'une oreille, attentif à ces jeunes filles concentrées sous les mains desquelles les tissus glissaient à toute allure. Les épaules fines s'activaient sous des foulards noirs frangés, faisant tressauter les croix épaisses qui pendaient sur leurs poitrines.

— Tu connais l'histoire ? m'a demandé Colette.

J'ai secoué la tête.

— Il est parti de rien, le vieux. Il a perdu son billet pour l'Amérique en jouant aux dés, alors il est devenu forgeron, et après il s'est mis à l'espadrille avec un âne et une charrette.

— Un âne ?

J'ai repensé à l'énorme automobile.

— Un âne. Et puis un jour, un bateau a brûlé en mer. Il l'a racheté.

— Il a acheté un bateau qui avait coulé ?

— Ouais. Parce que la cale était pleine de jute et qu'il en avait besoin pour ses espadrilles. Il l'a eu pour une bouchée de pain, la compagnie d'assurances pensait que tout le chargement était perdu. Mais le vieux savait que le jute ne brûlait pas au fond de l'eau. Il a tout récupéré et avec les bénéfices il a payé l'usine. Et maintenant, regarde où il en est…

Mouvement du menton.

— Alors tu vois, vieux ou pas, moi il me plaît.

L'homme s'est avancé vers nous. Colette a planté ses yeux verts dans les siens, avec cet air mutin qui promettait beaucoup. Mais il s'est tourné vers moi.

— Je te reconnais ! C'est toi que j'ai failli écraser hier soir !

J'ai levé mes grands yeux sombres vers lui. Toutes les filles me scrutaient du coin de l'œil en retenant leur souffle.

— Comment tu t'appelles ?

— Rosa, monsieur.

— Et tu parles français !

À Sancho :

— Elle est pas un peu jeune pour travailler ?

— Nous la payons en conséquence, s'est gargarisé ce dernier.

Colette a froncé les sourcils. Comment pouvais-je accepter de…

— C'est quoi ça ? m'a demandé le patron en désignant un papier qui dépassait de ma blouse.

J'ai sursauté. Silence dans l'atelier. J'ai tiré de ma poche un croquis. Dessus, une espadrille brodée de cerises. La cheville était ornée d'un élégant ruban de satin rouge. Guerrero a détaillé le dessin.

— En as-tu d'autres ?

Coup d'œil à Colette. Qui m'a encouragée. J'ai extirpé une douzaine de petits papiers pliés de ma poche. Certains étaient très aboutis, d'autres seulement des esquisses, des vues de biais de semelles de corde doublées, à talons, fantaisie avec deux yeux, des moustaches et une queue en point d'interrogation.

— Ce sont des dessins pour m'amuser, je…

Guerrero a posé les dessins et s'est adossé à une table en tirant sur sa pipe. Des grains de poussière virevoltaient dans les volutes de fumée.

— Que ferais-tu à ma place ?

— Monsieur ?

— Si tu étais la patronne de cette usine, que ferais-tu ?

La question m'a laissée pantoise. Se moquait-il de moi ? Il m'a encouragée d'un signe.

— Alors ?

— Monsieur, je ferais jouer la fanfare tous les jours dans l'atelier.

Le visage du patron s'est illuminé et un rire tonitruant est monté dans le hangar. Les couseuses se sont regardées.

— Une fanfare ?

Il a frappé sa cuisse, réjoui par cette idée incongrue.

— Une fanfare ! a-t-il répété. La belle affaire ! Et pourquoi, je te prie ?

— La musique nous ferait travailler plus vite.

La pipe en suspens, le patron s'est figé.

— Quel âge as-tu ?

J'ai hésité. Cet homme valait mieux que Sancho qui, mâchoire serrée, ne manquait pas un mot de notre échange.

— Quinze ans.

— C'est jeune. Tu es venue pour te faire un trousseau ?

— Non, je suis là pour ma grand-mère.

Le menton relevé, j'ai planté mes yeux dans les siens.

— Sancho dit que tu travailles lentement.

— C'est faux !

J'ai serré les dents, le rouge m'est monté aux joues. Guerrero ne me quittait pas du regard.

— Retourne à ton poste. À partir de maintenant, nous te paierons autant que les autres.

L'entretien était terminé.

Les filles sont retournées à leur ouvrage. J'ai jeté un œil vers Carmen. Impossible de savoir qui d'elle ou de Sancho aurait ma peau le premier. Pourtant, quelque chose s'était dénoué dans mon ventre. Alors que je me remettais au travail, le patron nous a remerciées.

— Bonne journée, mesdemoiselles, a-t-il lancé.

Puis il a ajouté à mon intention :

— Continue de dessiner.

19

Ce soir-là, quand je suis rentrée avec Colette, Lupin, impeccable dans son complet bleu ciel qui semblait avoir été cousu sur lui, m'a accueillie avec chaleur, comme s'il était établi que je reviendrais. Il m'a informée que le dîner serait servi à vingt heures et que j'étais priée de me changer. On m'avait fait monter une robe, est-ce que j'accepterais de la porter ? J'ai bafouillé, pas encore habituée à ce géant au sourire presque aussi large que ses mains.

Colette a disparu dans l'escalier, Don Quichotte a sauté de mes bras et s'est glissé entre les jambes de Lupin. La grande carcasse de muscles s'est recroquevillée. La montagne bleue a caressé la petite boule noire.

— Bonjour, monsieur… ?

Lupin a levé la tête.

— Don Quichotte… C'est un noble, j'ai expliqué.

— C'est vrai qu'il a du panache.

Don Quichotte a penché la tête comme il aimait à le faire quand on parlait de lui. Lupin a passé son pouce sur son oreille absente, mon petit compagnon s'est mis à ronronner.

Il l'a caressé un long moment, ses mains larges glissant sur le dos du petit animal. Le chat, immobile, faisait plus de bruit qu'une chaudière. Dehors, il pleuvait. Le bruit des gouttes. La douce chaleur émanant du poêle. C'est comme si tout à coup je m'étais assise au creux d'un nuage doux et moelleux. J'ai réprimé un bâillement. La présence de Lupin et le ronronnement de Don Quichotte avaient sur moi l'effet d'un somnifère.

Lupin a fini par se relever – il y avait la table à dresser, le vin à faire décanter et le piano l'attendait – et m'a regardée. Plus exactement, il a regardé *à travers* moi. Une drôle d'expérience, Liz, comme s'il s'absentait. Il a penché la tête, comme l'avait fait Don Quichotte quelques instants plus tôt, et il a dit :

— Qui est Alma ?

20

Ma chambre était petite mais chaleureuse, sobrement meublée. Derrière la fenêtre, un immense jardin parfaitement entretenu. On a toqué à la porte.

— Tu es officiellement la bienvenue ! a lâché Colette, Gédéon sur l'épaule, avant de s'affaler sur mon lit. Dieu soit loué ! Un peu de sang neuf dans cette maison !

Assis à mes pieds, Don Quichotte fixait l'oiseau en battant lentement de la queue.

— *Y a un quai dans ma rue, y a un trou dans mon quai…*, s'est mis à chanter le cacatoès, sa houppette dressée.

On aurait dit que quelqu'un avait branché un tourne-disque. Gédéon avait un répertoire musical très fourni, composé exclusivement de chansons grivoises. Dès qu'il se mettait à chanter, Bernadette se bouchait les oreilles et jurait ses grands dieux que le piaf allait finir à la casserole.

— Gédéon, ferme-la, je t'en prie ! s'est agacée Colette.

Elle portait une robe à fines bretelles aux motifs égyptiens, incrustée de perles, sur laquelle battait un sautoir. Une Cléopâtre blonde et sculpturale aux lèvres rosées.

— Regarde ce que je t'ai dégoté, Paloma !

J'ai souri la première fois qu'elle a utilisé ce surnom. *Paloma.* Ma colombe. Mon hirondelle. C'est ainsi que les Espagnoles se surnommaient entre elles. Sans doute l'un des rares mots que Colette connaissait dans ma langue.

Elle a posé sur moi une petite merveille de soie comme je n'en avais jamais vu, pas même dans la boutique de modiste de la grand-rue de Mauléon. Une pièce noire, sans manches, brodée d'or, qui brillait de la taille à l'ourlet. Un tissu sans attache « doublé en mousseline de soie pêche », m'a-t-elle précisé.

Elle m'a invitée à me déshabiller, j'ai rougi, gênée, elle a ri et m'a enfilé la chose par la tête. Puis elle a fait trois pas en arrière et s'est exclamée :

— Mazette !

Elle est revenue quelques instants plus tard avec une paire de souliers en cuir doré de la plus belle espèce. Sur ce la pendule a sonné, Gédéon l'a imitée et, sans plus savoir quelle heure il était, j'ai suivi Colette dans l'escalier. Les souliers trop larges me faisaient un pas d'éléphanteau. J'étais aussi à l'aise qu'à une soirée costumée.

La table avait été dressée avec faste – chandeliers en argent, nappe en lin, carafes en cristal, bougies, couverts multiples et soupières en tous genres. Comment allais-je m'y retrouver ? Mais déjà Véra, dans sa longue robe de satin beige assortie à son porte-cigarettes, levait une flûte vers le ciel.

— À Rosa, qui nous rejoint aujourd'hui, a-t-elle lâché d'une voix profonde. Tu es la bienvenue.

Lupin et l'institutrice ont acquiescé d'un signe de tête bienveillant et pour la première fois ma bouche a fait connaissance avec le champagne – et crois-moi, Liz, que sous ce toit, ces deux-là n'avaient pas fini de flirter.

À partir de là, mes souvenirs sont un peu flous. Sans doute que Bernadette nous avait préparé toutes sortes de délices, que Colette nous a fait rire en imitant les couseuses de l'atelier, imitations que Gédéon se sera empressé de commenter. La seule chose dont je me souviens très bien, c'est de mon discours. Et de l'enthousiasme formidable qui l'accompagnait.

— Mesdemoiselles, ai-je commencé une fois le dessert terminé, je voudrais vous remercier…

Je me suis levée, j'ai manqué de perdre l'équilibre, Lupin m'a rattrapée, Colette a souri – voilà qu'on commençait à s'amuser.

— Je ne souhaite pas écluser de votre fossilité (je me félicitais en moi-même de la richesse de mon vocabulaire français) et vous promettons que nous ne resterions pas ici très souvent, pardon, longtemps. Je…

— Rosa, m'a coupée Mlle Thérèse, un sourire au coin des lèvres. Tu es la bienvenue ici aussi longtemps que tu le souhaiteras. À une seule condition : que tu continues de travailler.

J'ai acquiescé avec une pensée pour Abuela dont le souvenir ne me quittait jamais, même imbibée de champagne. Évidemment que j'allais continuer ! Dans six mois, j'irais la retrouver.

Colette riait sous cape, déçue quand même qu'on ne m'ait pas laissée poursuivre. Elle en a profité pour remplir mon verre.

— L'oisiveté est mère de tous les maux, a ajouté l'institutrice qui aimait bien faire la leçon, y compris en dehors de sa classe.

Mlle Véra a levé les yeux au ciel avant de se resservir un verre.

— Je pense qu'on a compris, Thérèse, a-t-elle lâché entre deux ronds de fumée.

Mlle Véra faisait de son mieux pour se montrer cordiale envers l'institutrice, mais sache, Liz, que je n'ai jamais assisté à des disputes aussi monumentales que pendant les années passées à leurs côtés.

Lupin, qui à son grand désespoir servait souvent d'arbitre, en a profité pour déboucher une nouvelle bouteille, ce qui était dans cette maison – je le comprendrais bientôt – la réponse à tout. Puis nous sommes passés au salon, Lupin s'est assis au piano et Colette s'est mise à danser.

Assommée par l'alcool, je suis parvenue à garder les yeux ouverts au moins cinq bonnes minutes avant de sombrer dans un sommeil joyeux, peuplé de femmes en capelines, d'Égyptiennes sensuelles et de perroquets bavards. Alors que deux bras robustes me déposaient dans mon lit, j'ai eu la sensation d'être arrivée au bout d'un très long voyage.

Quand je me suis réveillée le lendemain, la tête prise dans un étau et avec une nausée de tous les diables, une seule chose m'était restée. Une formule soufflée par Colette : « Il n'y a que trois règles ici, Paloma. La première : ne jamais tomber amoureuse. La deuxième : ne jamais voler l'homme d'une autre. La dernière : ne boire que du champagne millésimé. »

De ces trois règles, une seule pourtant serait respectée.

21

Les trois femmes et Lupin vivaient au milieu des plantes, des livres et des jarretières. Mlle Thérèse était la première levée, elle préparait sa classe, corrigeait des dictées. Mlle Véra veillait tard le soir, penchée sur une machine à écrire, perdue dans la fumée de sa cigarette. Quand elle s'absentait, je m'empressais de bondir de ma chaise pour jeter un œil au papier, toujours le même, glissé sous le rouleau. Une feuille immaculée où patientait le chiffre 1. Centré, solitaire, droit comme une allumette qui peinait semblait-il à enflammer la créativité de la vieille fille.

Les Demoiselles ne se ressemblaient en rien. Mlle Véra était aussi élancée que Mlle Thérèse était gironde. Aussi fantasque que l'autre était sérieuse. Quel âge pouvaient-elles avoir ? J'avais quinze ans, Liz, et à cet âge, passé quarante ans n'importe qui fait figure d'antiquité. Mais Mlle Véra paraissait moins *ancienne.* Était-ce l'effet de ses lèvres fardées, de ses cheveux qu'elle teignait ou des cigarettes qu'elle fumait ?

Les deux femmes semblaient se connaître depuis toujours. Quand l'une commençait une phrase, l'autre s'empressait de la terminer. Elles n'étaient d'accord sur rien, sauf sur la manière de préparer le thé. Et pourtant la tendresse entre elles ne pouvait que me rappeler celle qui m'avait unie à Alma.

Mlle Véra empilait les mégots dans le cendrier, Colette les robes dans son armoire et Mlle Thérèse les livres dans la bibliothèque. Quant à moi, j'en profitais pour lire tout ce qui me tombait sous la main, en attendant d'arriver à fumer sans tousser.

À l'atelier, je m'étais habituée à l'indifférence de Carmen. Pas de bon cœur, comme tu peux t'en douter. J'étais très heureuse chez les Demoiselles, mais je savais qu'un jour je devrais comme les hirondelles rentrer au village.

Je travaillais dur et mettais de côté tout l'argent que je gagnais. Je profitais parfois de la pause pour lire les livres conseillés par Mlle Thérèse, ou quand elle insistait pour flâner avec Colette chez la modiste de la grand-rue. Boutique qui vendait majoritairement blouses et tabliers de travail – nous étions à la campagne ! – mais aussi quelques pièces destinées aux bourgeoises de la ville.

Je détaillais les robes, les accessoires, les plumes et les souliers que la patronne – dont je découvrirais bientôt l'amour pour Rochas et Jean Patou – choisissait avec soin. Tout en cousant, j'imaginais des modèles d'espadrilles innovants, assortis de talons, de broderies, de rubans, que je dessinais à mes moments perdus. Ici un nœud de satin. Là des lacets s'enroulant autour des chevilles. Je m'inspirais des chapeaux merveilleux que portaient les Mauléonaises le dimanche.

Mais malgré tout le temps que nous passions ensemble, impossible de faire parler Colette. Alors un jour, n'y tenant plus, j'ai interrogé Bernadette.

C'était un dimanche matin. J'étais bien la seule dans cette maison à me préparer pour la messe. Tandis que Bernadette s'affairait en cuisine – t'ai-je dit, Liz, à quel point cette femme était un parfait cordon-bleu ? –, je tentais d'ignorer une terrible migraine. La veille, nous avions inauguré un merveilleux phonographe que Lupin avait fait venir de je ne sais où pour l'anniversaire de Mlle Véra. Bernadette s'était jointe à nous, et à cette occasion nous nous étions déguisés.

— Raconte-moi, Bernadette, j'ai lancé en trempant mon pain dans mon bol.

En l'absence de Mlle Véra, qui le dimanche émergeait rarement avant midi, le faste du petit déjeuner se réduisait au strict minimum. Tout cet apparat n'était imposé que par la reine elle-même en souvenir de ses belles années.

— Qu'est-ce que tu lui veux, à la Nadette ?

J'ai essuyé le lait qui me coulait sur le menton et dans mon meilleur français j'ai dit :

— Qu'est-ce que Mlle Véra et Colette sont venues faire ici ?

Bernadette a posé un œil sur moi, l'autre sur la table, puis elle a replongé dans l'évier. J'ai bondi de ma chaise pour la prendre dans mes bras. Son gilet boutonné jusqu'au cou sentait le savon.

— J'ai promis de rien dire à personne de ce qui se passe ici ! s'est-elle écriée, sentant que la situation lui échappait.

— Allez, Bernie, quoi, Colette ne veut rien me dire, y a que toi…

Elle a fait semblant de ne pas m'entendre mais, comme tous ceux à qui on impose le silence, elle crevait d'envie de parler. Alors j'ai ajouté :

— Sinon je dis à Mlle Véra ce que tu fais de Gédéon en son absence pour avoir la paix.

Elle s'est retournée, rouge comme un lampion.

— Crénom de nom !

Puis d'un air las elle a essuyé ses mains dans son torchon, posé une bouteille sur la table et tiré une chaise.

— Sers-m'en un, va ! J'ai la tête là où les poules ont les œufs !

Sur ce, elle s'est envoyé une bonne rasade dans le gosier et s'est mise à parler.

22

— Mam'zelle Thérèse, c'est simple, tout le monde la connaissait, a commencé Bernadette. Elle est arrivée avec son mari avant la guerre, on sait pas trop d'où. Elle parlait qu'aux enfants, surtout aux plus pauvres, on aurait dit une sainte qui prêchait avec une craie.

J'ai souri.

— Son mari, il était pas commode, certains disent qu'il était porté sur les femmes, d'autres sur les hommes… Enfin, toujours est-il qu'il est parti. Il paraît qu'ils ont…

Bernadette a jeté un coup d'œil derrière elle et baissé la voix :

— Ils ont *divorcé.*

J'ai ouvert de grands yeux, choquée. *Divorcé ?* Bernadette a hoché la tête, contrite.

Tu dois savoir qu'à l'époque, Liz, les divorcées étaient forcément considérées comme des traînées. Ce qu'on avait bien du mal à croire quand on voyait Mlle Thérèse, ses cheveux de neige, ses longues jupes plissées et son chemisier boutonné jusqu'au cou.

Bernadette a porté le verre à ses lèvres, ramassé quelques miettes sur la table et elle a continué :

— Et pis y a d'ça quoi, neuf mois ? Mam'zelle Véra est arrivée avec Colette et Marcel au volant de leur automobile. Sacredieu, je m'en souviens encore, même les vaches elles en sont pas revenues. Autant le Marcel était laid, autant ces femmes étaient plus belles que tout ce qu'on pouvait imaginer. Les hommes ont commencé à siffler sous leur casquette, mais ils ont vite fait de se calmer quand Lupin a sorti son grand corps de la voiture. Le vieux Peyo il s'est mis à hurler, il a cru qu'il était mort et que c'était Satan qui venait !

Elle a jeté un coup d'œil à la pendule. Il nous restait un peu de temps avant la messe.

— Ils sont arrivés avec toutes sortes de malles, de coffres, de lampes, de meubles et de tapis, et ils ont acheté cette grande maison où Mam'zelle Thérèse est venue s'installer avec eux. Pendant trois semaines, ça n'a pas arrêté. Un vrai défilé. Marcel a fait passer le message qu'ils cherchaient des maçons, des peintres, une bonne, et que la dame elle était pas regardante sur la monnaie. Trois jours plus tard, j'étais engagée. La maison était devenue un palais.

Bernadette s'est levée, a attrapé quelques haricots qu'elle s'est mise à équeuter.

— Et alors ? j'ai lancé, suspendue à ses lèvres.

— Et alors quoi ? Lupin m'a montré comment il fallait dresser la table, expliqué ce que Mam'zelle Véra aimait manger, et m'a fait jurer sur ce que j'avais de plus précieux que tout ce qui se passait ici devait rester secret.

J'ai frissonné. Ce récit me passionnait.

— Lupin t'a dit pourquoi ils étaient venus ?

— Il a dit que Mam'zelle Véra avait hérité. Apparemment elle avait décidé d'en profiter. En ça, elle a bien raison, on n'a jamais vu un coffre-fort suivre un corbillard, pas vrai ? Colette cherchait du travail, alors je lui ai parlé de l'atelier. C'était la fin de l'été, la saison allait bientôt commencer.

J'ai attrapé un bout de pain que j'ai fourré dans ma bouche, songeuse. Quelle idée de venir s'installer ici ! Bernadette a levé la tête de ses haricots, les yeux brillants.

— Un soir, j'ai entendu Mam'zelle Colette parler avec Lupin du cirque où il travaillait.

— Du cirque ? je me suis exclamée, la bouche pleine.

— Du cirque.

Bernadette n'était pas mécontente de son petit effet.

— C'est Mam'zelle Véra qui l'avait trouvé là-bas. Il faisait un numéro de force ou que'q'chose du genre. Elle l'avait trouvé très beau, alors ils étaient repartis ensemble.

— Comme ça ?

— Comme ça.

Cette histoire n'avait ni queue ni tête. À y réfléchir, cette maison avait elle aussi tout d'un cirque, tenu par une institutrice et une bande de forains excentriques portés sur la bouteille.

Le regard de Bernadette s'est voilé.

— Le Robert, il était pas d'accord pour que j'travaille ici. Il disait que la Colette tenait mieux sur le dos qu'une chèvre sur les cornes et que c'étaient pas des fréquentations convenables.

Un silence. Le bruit des haricots qu'elle jetait dans le saladier.

Bernadette en est venue à me parler de son mariage. Qui n'avait rien d'un conte de fées. Le vieux Robert avait la main lourde, mais il ne serait pas venu à l'idée de la cuisinière de s'en plaindre. Certaines choses étaient ainsi depuis toujours, il fallait juste s'en accommoder.

La pendule a sonné, le curé nous attendait. Nous nous sommes mises en route.

Le récit de Bernadette n'avait fait qu'attiser ma curiosité. L'institutrice. Les Demoiselles. Le champagne et Mauléon.

Je ne tarderais pas à en apprendre davantage. Non par Bernadette, mais grâce au perroquet.

23

Ce soir-là, je suis rentrée seule. Colette avait rendez-vous avec un homme. Un jeune ouvrier au sourire angélique avec qui elle échangeait depuis quelques jours des regards pleins de sous-entendus. Lupin et Mlle Véra étaient partis sur la côte en voiture chercher une bourriche d'huîtres fraîches, quelques crabes et une caisse de jurançon. Mlle Thérèse était à l'école, Bernadette en cuisine. La maison semblait étrangement calme.

J'avais rapporté de l'atelier quelques semelles, du tissu, une aiguille et du fil. J'avais en tête de fabriquer des espadrilles inspirées de mes dessins. À commencer par une paire audacieuse assortie à un chapeau élégant que j'avais vu la veille à la messe.

Les bras chargés, j'ai ouvert la porte de ma chambre d'un coup de hanche. Et là, sur le tapis, le lit, la commode, des plumes. Partout des plumes. On aurait dit qu'un édredon avait explosé.

Gédéon.

J'ai appelé Don Quichotte, regardé sous le lit, dans l'armoire. Introuvable.

Seigneur ! Si mon chat avait fait taire le vicomte pour de bon, on nous mettrait à la porte, c'était sûr !

Mlle Véra adorait l'oiseau presque autant qu'elle adorait Lupin.

Le cœur battant, j'ai suivi le chemin de plumes qui me guidait vers l'escalier. L'étage était fermé, personne n'y logeait. J'ai grimpé les marches quatre à quatre et poussé la porte entrouverte qui donnait sous les combles. Une faible lumière perçait à travers une lucarne, faisant danser quelques grains de poussière. La pièce était remplie de malles, de paniers et d'armoires. Un vrai capharnaüm.

— Au secours ! Au secours ! a crié le piaf, perché sur un drôle de mannequin désarticulé.

En dessous, Don Quichotte, le nez en l'air et la gueule pleine de plumes, attendait son heure.

— Au secours ! Au secours ! a répété Gédéon.

Le pauvre vicomte avait perdu de sa splendeur. Certains endroits laissaient entrevoir sa peau glabre, seule sa houppe était intacte, on aurait dit qu'il portait une cagoule. Je me suis empressée de l'accueillir dans mes bras et l'ai caressé tout en grondant Don Quichotte qui, dépité, s'est enfui dans les étages.

— Au secours ! Au secours ! continuait de scander Gédéon tout tremblant au creux de mes mains.

Le chat lui avait fichu une peur bleue. Qu'allais-je pouvoir dire aux Demoiselles ? J'ai ramassé quelques plumes à terre, essayé de les glisser au milieu de ce qui restait de son manteau pour lui redonner un semblant de panache. En vain. Le pauvre piaf ressemblait à un plumeau. Me croiraient-elles si je jurais que Don Quichotte n'y était pour rien ?

J'en étais là à essayer d'élaborer un mensonge acceptable, le perroquet dans les bras, quand mon regard s'est posé sur une mousseline corail qui émergeait d'une malle. Une merveille de robe en dégradés de rouge, parée de franges des épaules jusqu'à la traîne. Liz, si tu avais pu voir ce qui se cachait dans ce grenier ! La caverne d'Ali Baba ! Robes en satin brodées de perles, en soie, robes à taille haute, à taille Empire, à basques ou fendues, à longues manches, ornées de plumes de paon, à broderies ou parées d'épis de blé… Je ne savais plus où donner de la tête. Je me suis empressée d'ouvrir une deuxième malle qui regorgeait d'accessoires : souliers en brocart, éventails raffinés, ombrelles, chapeaux à rubans, diadèmes, colliers… Dans une large valise poussiéreuse, une collection étourdissante de sous-vêtements. Des caracos en dentelle, des bandeaux, des combinaisons en rayonne, des corsets incrustés de perles et de diamants fantaisie, le tout dans des nuances poudrées des plus merveilleuses. Entre les soies rose, pêche, abricot ou cyclamen dont Colette m'apprendrait bientôt à identifier les nuances, j'ai déniché un soutien-gorge qui donnait à mes deux œufs à la coque une contenance fabuleuse.

Gédéon, ravi de ces découvertes, s'est mis à chanter l'une de ces chansons grivoises dont il avait le secret tandis que j'investiguais le contenu des autres cantines. Partout des dentelles, des capelines, des colliers, des bracelets et des tissus soyeux.

Et puis dans un coin, une malle en fer-blanc.

Excitée, je l'ai ouverte. Elle contenait toutes sortes de papiers, de photographies, de lettres.

J'ai tendu l'oreille, attentive aux bruits venant du rez-de-chaussée. Silence. Le parquet a craqué. J'ai cru entendre un petit rire, semblable à celui d'Alma. Un frisson a parcouru ma nuque, je me suis retournée. Personne. J'ai pris une grande inspiration, tiré une valise à moi pour m'asseoir dessus. Mon cœur battait la chamade, noyé dans les effluves de ce parfum d'interdit.

Au hasard, j'ai mis la main sur un paquet de lettres nouées par un ruban. La première avait été écrite par un homme à celle qu'il aimait « plus que de raison » et qu'il suppliait de lui accorder « une entrevue ». J'en ai feuilleté une deuxième, puis une troisième. Si le style et l'écriture différaient, l'idée restait la même : tous ces hommes étaient fous de celle qui se refusait à eux. À qui ces courriers étaient-ils destinés ?

J'ai plongé à nouveau la main dans la malle, hésité entre quelques cartes postales, des dessins et de vieux magazines quand – splendeur ! – je suis tombée sur une collection de photos à faire pâlir un curé.

— T'as vu ça, Gédéon ? je me suis exclamée.

Sur l'une d'elles, Mlle Véra, de vingt ans plus jeune, son long cou crème à peine couvert d'un drap plissé. Un port de reine, des yeux de braise, une bouche charnue.

— La marquiiise ! a répondu Gédéon avant de se lancer dans une rengaine sur une grisette et un bossu, rengaine parfaitement indécente qui pourtant n'égalait en rien ce qui se trouvait sur ces clichés.

Sur une autre photo, Mlle Véra encore, tout en bijoux et en fourrures, les joues rosies au pinceau du photographe, posait sur une scène. FOLIES BERGÈRE s'affichait au-dessus de sa tête. La majorité de ces portraits la représentaient à moitié nue, et il fallait admettre que ça lui allait bien. La reine était d'une beauté éblouissante. Parmi les clichés, des articles de journaux vantaient les talents de chanteuse de celle qu'on appelait la marquise de la Vigne. Il y était dit que ses numéros de scène étaient presque aussi célèbres que ses amants. Tout Paris se battait pour s'offrir ses faveurs.

Assise sur la valise, je souriais, grisée. Ainsi, Mlle Véra avait été une… une… Les mots me manquaient. Comment appelait-on ce type de femme ? J'hésitais entre la fascination et l'horreur. J'avais été élevée par une vieille dame et un prêtre pour qui le plaisir n'était synonyme que de culpabilité. Ce dont je n'avais tiré qu'une insatiable curiosité.

L'heure tournait, il allait falloir redescendre. J'ai remis les lettres, les articles et les photos en vrac dans la malle. Au milieu des affiches, une série de dessins m'avait échappé. Dessus, des couples s'aimaient dans toutes sortes de positions.

J'avais quinze ans, Liz, et j'avais beau être naïve, je n'en étais pas moins éblouie. J'ai détaillé chaque dessin, le nez plissé, un sourcil relevé. Quelle souplesse ! L'un d'entre eux inventoriait les attributs masculins dans toute leur diversité. Des engins de toutes tailles, des longs, des petits, des dodus, des tordus, des ridés. Voilà donc ce qui faisait tourner le monde ?

La porte d'entrée a claqué, j'ai sursauté. J'ai glissé Gédéon et son drôle de plumage dans ma blouse et dévalé les escaliers.

Je me suis précipitée dans ma chambre, j'ai jeté sur mon bureau quelques crayons et croquis, et Colette est entrée, un sourire jusqu'aux oreilles. Les yeux brillants de tout ce que je venais de découvrir, je me suis juré de ne pas dire un mot, même sous la torture. Motus et bouche cousue.

24

J'ai tout avoué.

Ça avait pourtant bien commencé. Je m'étais composé un air dégagé, de ceux qu'il faut prendre quand on se promène en automobile. Mais sous ma blouse, le vicomte s'est mis à crier :

— De l'air ! De l'air !

Plongée dans un magazine, ses longues jambes étendues sur mon lit, Colette a jeté un œil à l'oiseau déplumé, et replongé dans sa lecture. De toute évidence, elle se souciait autant du croupion dénudé de Gédéon que de sa première chemise.

— Qu'est-ce que je dois faire ? j'ai demandé, inquiète.

Haussement d'épaules, geste vague de la main. Son indifférence était aussi insupportable que les hurlements du perroquet. Mon sang s'est mis à bouillir. J'allais être mise à la porte et elle n'en avait rien à faire !

— C'est sûr que c'est facile pour toi ! j'ai crié d'une voix rendue aiguë par l'angoisse. T'as rien à craindre ! Tu dépenses tout ton salaire en robes et tu te fais entretenir par une… une… *prostituée* !

Colette a levé la tête. Son regard m'a foudroyée.

— Une prostituée ?

Elle a détaché chaque syllabe du bout des lèvres. J'ai rougi. Bafouillé une excuse. Je me suis soudain sentie affreuse.

— Depuis quand tu utilises des mots pareils ? a-t-elle demandé en se plantant devant moi, les mains sur les hanches.

Un frisson m'a parcouru l'échine. Mâchoire serrée, elle me fixait, l'air mauvais.

— Mlle Véra mérite mieux que ce mot affreux que tu viens de prononcer, a-t-elle lâché d'une voix glaciale.

Et là, les larmes aux yeux, j'ai tout raconté. Les plumes, le chat, les malles. Les robes, les bijoux, les photos. Les *engins*…

— Les engins ?

Colette a éclaté de rire.

J'ai rougi. Reprenant son sérieux, Colette m'a dévisagée. Sans doute hésitait-elle. Elle a sorti de sa poche une cigarette, craqué une allumette, soufflé un long ruban de fumée. Et puis elle a dit :

— Tu n'as jamais connu d'homme, pas vrai, Paloma ?

Silence. Qu'entendait-elle par « connaître » ? Il y avait bien Pascual – le héros de mes rêveries chastes et romantiques. Mais la vérité c'est qu'à cette époque, j'étais aussi délurée qu'une nonne en prière, ce qui, comme tu t'en doutes, ne devait pas durer.

Colette s'est allongée sur mon lit, sa cigarette entre les lèvres. Et le regard perdu à travers la fenêtre, dans cette maison isolée au cœur du Pays basque, à l'abri du monde, au milieu des champs et des forêts, elle a fait revivre le Paris qu'elles avaient quitté. Un Paris de luxe, de scandales, de plaisir et de volupté.

25

Colette devait tout à Mlle Véra.

Elles s'étaient rencontrées un soir d'été au théâtre. Un certain M. Berguen les avait présentées. Vieux et laid, soixante ans passés, banquier de son métier, infidèle de son état.

— Je lui prêtais ma jeunesse et en échange il me sortait.

Le vert profond de ses yeux mutins s'est flouté un instant derrière la fumée de sa cigarette.

— C'est lui qui m'a fait découvrir le cabaret. Il savait que j'admirais la marquise, je suivais toutes ses aventures dans la presse, je connaissais toutes les rumeurs sur les noms de ses amants, j'admirais sa richesse et son indépendance. Tout ce qui me manquait, Paloma ! Ce soir-là, elle tenait le premier rôle dans un spectacle de music-hall. Je la revois encore, couverte de perles, de brillants, des rubis aux doigts. Dans ses cheveux, un merveilleux diadème. À ses oreilles, deux solitaires. Si t'avais vu ça, Paloma ! Énormes. Blancs. Brillants.

Mlle Véra s'est matérialisée devant moi, parée des robes et bijoux découverts au grenier. Une liane gracile et vénéneuse, sensuelle, étourdissante.

— Véra était la reine du Tout-Paris. Elle faisait la une des journaux. Maîtresse de Napoléon III, du roi du Portugal et du tsar de Russie… Les rumeurs les plus folles circulaient ! Quand je l'ai vue en vrai, c'est comme si la foudre m'était tombée sur la tête. Comme si je l'avais toujours connue. Un truc étrange. Ce jour-là, je me suis fait la promesse de m'habiller en princesse et de faire payer les hommes puissants. Pas cette affreuse asperge rassise de Berguen !

Colette a souri à ce souvenir.

— J'ai pas mis beaucoup de temps à comprendre que le vieux Berguen, il rêvait d'elle chaque nuit. Il lui faisait livrer des brassées de fleurs fraîches chaque matin et aurait tué père et mère pour une nuit avec elle. Mais Véra ne se donnait pas à n'importe qui. Et le pauvre vieux qui pensait qu'il arriverait à la rendre jalouse avec moi ! À l'époque j'étais qu'une lorette, une rien du tout. On vivait dans une loge, à quatre sur une paillasse dans cette pièce minuscule qu'on n'avait même pas les moyens de chauffer. Dès que j'ai pu, j'ai trouvé du travail chez Émilienne, la blanchisseuse de la rue Lepic. Et pour passer le temps et gagner quelques billets, y avait le vieux Berguen.

La fumée de cigarette de Colette s'est épanouie dans la chambre. J'ai jeté un œil à Gédéon blotti au creux de mes bras. Endormi.

Colette n'avait jamais connu ses parents et avait été confiée très jeune à une nourrice, puis à une concierge cherchant à se faire un peu d'argent. À quinze ans, elle était devenue lingère. Sous ses bras fatigués défilaient les tenues des plus riches, sous l'eau froide du lavoir les étoffes, les robes, les corsets. La passion de Colette était née.

— Ce soir-là, j'avais mis la main sur une liquette qu'appartenait à une dame de la haute, une chemise en dentelle au point de Chantilly. Berguen m'a emmenée dîner aux Ambassadeurs. Tout le beau Paris y était, le Paris du cabaret, des cocottes et des messieurs qu'aimaient bien s'amuser. Je me suis retrouvée assise à côté de Laure de Chiffreville. Laure a touché ma chemise, et a dit : « Mince de chic… du point de Chantilly ! » Alors je lui ai expliqué que cette liquette n'était pas la mienne.

Colette était espiègle, mordante et drôle. Je n'avais aucun mal à imaginer que sa première apparition dans le monde ait marqué les esprits.

— Laure a ri, elle a trempé ses doigts pleins de bagues dans le champagne, et elle a aspergé mes cheveux en lançant : « Toi, tu feras ton chemin ! Tu nous dépasseras toutes, c'est couru ! Je te baptise Colette de Chantilly ! »

Son visage ne montrait plus rien de la colère qui l'habitait quelques instants plus tôt. La jolie blonde flottait quelque part entre ici et Paris, illuminée par ses lumières, ses fastes, ses souvenirs.

— On avait toutes des noms inventés. Liane de Pougy, Valtesse de La Bigne, et puis Véra bien sûr. Elle était pas vraiment marquise, mais ça faisait chic ! Bah, on garde pas le même nom pour plumer les oies et pour plumer les pigeons, Paloma !

Les pigeons, les oies, les grues, les cocottes, les hirondelles. Tous ces noms d'oiseaux, volatiles en quête de plaisir et de liberté. Ce jour-là j'ai compris que Colette, Mlle Véra, moi et même Carmen avions plus en commun que je ne l'imaginais.

Dans l'intimité de la chambre, Colette a retracé ses premières années de courtisane. Le vieux Berguen lui avait payé une garde-robe, des bijoux et même un petit appartement. Puis il avait été remplacé par des hommes plus riches, plus célèbres, plus puissants. L'un d'eux, un compositeur de musique, l'avait choisie pour muse. Grâce à lui Colette avait fait une entrée fracassante dans le milieu de la galanterie. Sa beauté éclipsait toutes les autres.

— Un jour on m'a proposé un numéro au Cirque d'Été. Je savais pas chanter alors on m'a donné des lapins à dresser. T'aurais vu ça, Paloma ! Une douzaine de petites bestioles blanches qu'il fallait faire sauter à travers un cerceau. Je portais un justaucorps rose qui laissait pas beaucoup de place à l'imagination. Et me demande pas comment, mais les lapins ont sauté. Le lendemain, on parlait de moi dans la chronique mondaine de *Gil Blas* !

Colette m'a décoché un sourire candide suivi d'une de ses moues espiègles qui lui donnaient un charme fou.

— Et de fil en aiguille, c'est comme ça que j'ai revu Véra. J'ai rejoint les Folies Bergère où elle chantait. Tous les billets étaient vendus des semaines à l'avance. Quand je la croisais, elle m'impressionnait, je perdais tous mes moyens. Un jour, elle est venue dans ma loge, et on a discuté. Elle m'a dit que si je voulais gagner ma vie, la beauté ne suffirait pas.

L'important, Paloma, c'était un corps bien fait, mais surtout la *conversation*.

Le mot a flotté dans l'air un moment.

Soudain, dans le couloir, des voix, une porte qui claque. Les Demoiselles étaient de retour. Colette s'est redressée.

— Quelques mois plus tard, j'ai emménagé chez elle, dans un splendide hôtel particulier près du parc Monceau. C'est là que Véra m'a tout appris.

Dans ma chambre se matérialisait Paris, ses boulevards, ses lumières, ses cafés. Une ville coquine, sulfureuse, effervescente, enjouée. En quelques phrases, Colette m'a résumé ses années parisiennes de vedette à scandale. Les demi-mondaines fascinaient. La moindre de leurs frasques, voyages, amourettes, tout était prétexte à des unes tapageuses qui passionnaient les foules. Entre balades au bois de Boulogne et nuits blanches, Colette recevait des cours d'orthographe, de grammaire, d'histoire et des leçons de maintien. Si Mlle Véra n'avait rien d'une marquise, elle avait tout d'un mentor.

— Mademoiselle Colette ! Mademoiselle Rosa ! À table !

Bernadette a sonné le dîner. Ses cris ont réveillé Gédéon, qui s'est ébroué, faisant voleter au passage quelques-unes des maigres plumes qui lui restaient. J'ai sursauté, je l'avais presque oublié. Qu'allais-je bien pouvoir dire ? Colette a réajusté sa robe, déposé un peu de rouge sur ses lèvres.

— Je m'en charge. Contente-toi d'acquiescer.

En bas, autour d'un plateau de fruits de mer aussi large que la table, les Demoiselles et Lupin nous attendaient. Mlle Véra a détaillé ma robe et d'un signe de tête discret a acquiescé. À mon tour, j'étais transportée dans la lumière.

S'en est suivie une histoire compliquée où il était question d'une fenêtre ouverte, d'un perroquet distrait, et d'un paysan malintentionné. Ravie de sa virée sur la côte, Mlle Véra n'a pas cherché à en savoir davantage et le croupion dénudé de Gédéon a provoqué l'hilarité générale. De coupes de champagne en airs de jazz, la soirée est passée. Don Quichotte et moi étions sauvés.

Quelques heures plus tard, allongée dans mon lit la tête encore pleine du récit de Colette, j'imaginais Mlle Véra sur scène, sourire enjôleur, diamants aux poignets. Libre d'esprit, indépendante, déterminée. Et à en croire le luxe de cette maison, dotée d'un vrai sens des affaires.

Une seule question restait sans réponse : qu'était-elle venue chercher ici ?

26

Alors que Noël s'annonçait à grand renfort de guirlandes et de décorations, Colette a demandé à Marcel de nous conduire à Mauléon. Elle affichait depuis quelques jours une certaine mélancolie que ni les soirées enjouées des Demoiselles ni les attentions délicates de Lupin ne parvenaient à dissiper. Nous étions en route pour l'unique magasin de vêtements de la ville où la jolie blonde dépensait son salaire en robes et chapeaux, quand les cloches de l'église se sont mises à carillonner.

Jour de noces.

Qui se mariait ? Nous nous sommes approchées. Il pleuvait. Sur le parvis quelques silhouettes attendaient, un couple d'âge mûr affichait un air d'enterrement. La mère retenait ses larmes, un mouchoir encore humide au creux de la main. Elle s'est signée en secouant la tête. Quand j'ai aperçu les mariés, un frisson d'effroi m'a glacée.

Carmen.

Sancho a écrasé ses lèvres sur les siennes tout en maintenant son épaule de sa main épaisse. Quelques grains de riz ont été lancés. Et la noce s'est mise en marche. Les hirondelles portaient sur leurs têtes quelques draps brodés, une couverture à pompons, une demi-douzaine de camisoles marquées aux noms des époux. Elles s'étaient dévouées pour que la jeune mariée n'arrive pas chez sa belle-mère les mains vides. L'idée de ce trousseau avorté m'a mis les larmes aux yeux. De bien minuscules trésors face au sacrifice demandé.

Les cloches de Saint-Aubin carillonnaient toujours, une mélodie macabre aussi grise que ce samedi de décembre. J'avais la gorge nouée par la colère du drame qui se jouait. Carmen avait beau m'avoir chassée de la maison des Espagnoles, elle ne méritait pas d'être mariée à un tyran, enceinte d'un autre. Le destin l'avait pointée du doigt. Ça aurait pu être n'importe laquelle d'entre nous. Maria. Felipa. Alma. Ou moi.

Me sont revenus en tête les chants joyeux des hirondelles le matin de notre départ de Fago. Leurs rires, leurs espoirs. Elles voulaient se marier, se fabriquer une dot, prétendre au bonheur. La mort d'Alma, la nuit des aiguilles, le mariage de Carmen étaient un prix bien trop élevé.

Ce jour-là, je me suis fait la promesse de ne jamais me marier.

27

J'ai attendu de me retrouver seule.

Éclairée par la flamme vacillante d'une lampe à huile, j'ai détaillé l'enveloppe. C'est Jeannette qui l'avait glissée dans ma poche le matin devant l'église. La lettre était arrivée la semaine passée à la maison des Espagnoles. La petite l'avait gardée. En échange, elle m'avait fait promettre de tout lui raconter.

Le papier était froissé et marqué d'un timbre étrange. Je ne reconnaissais pas non plus l'écriture. Se pouvait-il que ce soit lui ? J'ai savouré l'instant. Ce moment fugace où les enveloppes comme les paquets cadeaux sont encore pleins de promesses tenues.

Je revoyais son sourire franc, ses yeux clairs, ses épaules larges, sa nuque sombre. À quoi pouvait bien ressembler l'Argentine ? Chaque jour, je voyais partir des charrettes d'adolescents vers la côte. Il se disait que là-bas les pâturages étaient immenses et les Basques nombreux, tellement nombreux que les jeunes filles d'ici craignaient qu'il n'y ait un jour plus assez d'hommes à marier. Mes pensées se perdaient derrière la fenêtre. Un ciel mauve appelait la nuit. Dans le jardin, Bernadette était occupée à fermer les volets. Assis sur une balancelle, une cigarette entre les lèvres, Marcel l'observait.

Pascual avait-il trouvé une fiancée là-bas, de l'autre côté du monde ? Que penserait-il s'il me voyait ici ? L'espace d'un instant, la galerie des engins m'a traversé l'esprit.

— Qu'est-ce que c'est ?

J'ai sursauté, les joues rouges. Colette. Majestueuse, parfumée. Ces derniers temps, elle me rejoignait souvent dans mon lit. On bavardait un peu jusqu'à ce que je m'endorme. Elle s'éclipsait pendant la nuit, ne laissant sur l'oreiller qu'une large trace de fond de teint et quelques effluves de musc blanc. Je n'ai pas eu le temps de cacher l'enveloppe sous les draps qu'elle s'en était déjà emparée.

— Rends-moi ça ! j'ai hurlé.

Elle a tendu le bras vers le plafond.

— Et moi qui croyais que t'étais sage ! a-t-elle lancé en gloussant.

J'ai bondi sur elle, la renversant dans un cri. Elle a éclaté de rire tandis que le cœur battant je récupérais l'enveloppe. Une simple carte postale en noir et blanc. Dessus, une brebis, des montagnes, le ciel. Au dos, quelques lignes écrites d'une main maladroite.

Cinq mots.

Cinq mots chauds, rassurants, lumineux.

Cinq mots comme un fil invisible tendu à travers l'océan.

Sois courageuse. Je reviendrai.
Pascual

Mon cœur s'est mis à battre la chamade. Il ne m'avait donc pas oubliée ! J'avais envie de crier, de danser, d'embrasser Colette sur la bouche. Ma chambre s'est remplie de fleurs, des angelots sont descendus du ciel en jouant de la lyre, un arc-en-ciel a illuminé mon lit. Je venais d'être piquée par une mouche romantique.

Alanguie sur mon édredon, Colette me fixait, goguenarde.

— Tu vas me raconter ou faut que je te supplie ?

Colette était devenue ma plus fidèle confidente. Sa joie de vivre me rappelait celle d'Alma mais avec ce je-ne-sais-quoi de fantasque et de romanesque qui me fascinait. Colette aimait l'aventure, le risque, la passion. Elle acceptait que la vie la malmène si ça lui permettait de vivre des choses intenses et inattendues. Colette était amoureuse de l'amour mais jamais de ses amants.

Aussi je n'ai pas été surprise quand, après qu'elle a lu la carte et que je lui ai raconté les conditions de ma première rencontre avec Pascual, elle a levé un sourcil et secoué la tête, déçue.

J'ai haussé les épaules. Un seul coup d'œil à la carte – il m'avait écrit ! – et les angelots se sont remis à jouer, l'arc-en-ciel à briller et les fleurs à chanter. Je n'avais que faire des mauvais présages de Colette. Je m'apprêtais à la mettre à la porte, déterminée à rester en tête à tête avec mon bonheur rose et sucré, quand elle a lâché :

— Crois-moi, Paloma, l'amour et les promesses ne font pas bon ménage.

28

Les jours suivants n'ont été qu'une longue conversation ininterrompue. Du matin au soir et du soir au matin, au petit déjeuner, à l'atelier, dans l'obscurité de ma chambre ou à la faveur de nos balades en forêt, Colette et moi ne parlions que d'amour. De ses promesses, de ses dangers. De ses ravages.

Colette avait été amoureuse. Follement. Dangereusement.

Ces mois passés aux côtés de Mlle Véra, entre cours de diction, de maintien, promenades au bois de Boulogne et essayages de robes et de bijoux, avaient fait d'elle une courtisane de haut vol. Elle avait rejoint le cercle fermé, décrié mais si divertissant des grandes horizontales.

De toutes, Colette était la plus jeune, la plus belle, la plus vénéneuse. Elle collectionnait les hommes et gobait leur fortune comme un œuf. Mlle Véra lui avait transmis son art avec patience et sévérité. Appliquée, ingénieuse, délurée, Colette marchait dans les pas de la marquise. Certains disaient même qu'elle la surpasserait.

« Tu peux être l'esclave de tes passions, mais jamais d'un homme, la sermonnait Véra. Notre liberté est fragile. Le cœur ne doit pas s'en mêler. » Mais comme tu t'en doutes, Liz, le cœur s'en est mêlé.

Il s'appelait Édouard. Drôle. Attentif. À l'écoute. Du charisme en diable. Un duc.

— Un duc ! me suis-je exclamée. Quel âge ?

— Vingt ans de plus que moi. Mais encore très beau, je t'assure.

J'ai repensé au sourire que Colette avait jeté au patron ce jour-là à l'usine. « L'amour n'a pas d'âge et le bonheur n'a pas de rides ! » plaisantait Colette. De toute évidence, elle aimait les hommes mûrs.

Ces deux-là s'étaient croisés lors d'un dîner. À l'époque, sa réputation était déjà faite. Une nuit avec elle était hors de portée du commun des mortels. Le duc s'était donc mis comme tant d'autres à lui envoyer des fleurs. Des poèmes. Des dessins. Un piano. Et même un chanteur d'opérette ! Colette s'en amusait.

Patient, prévenant, attentif, il la comprenait mieux que personne. À ses côtés, elle se sentait pousser des ailes. Il l'adorait. La révélait à elle-même. Elle avait rencontré son double, son âme sœur. En quelques semaines, elle ne pouvait plus se passer de lui.

Le coup de foudre avait été réciproque. Un mois plus tard, le duc la demandait en mariage. Colette accepterait-elle de devenir duchesse de Montaigu ? Imagine, Liz, l'effet que cette particule avait pu avoir sur l'imagination de la jeune Colette ! Elle qui avait grandi dans une loge de concierge. Elle qui deux ans plus tôt volait les robes qu'elle portait et avait à peine de quoi manger. Elle qu'on aimait enfin pour celle qu'elle était.

Colette était aux anges.

Mlle Véra, en revanche, ne semblait pas enchantée, inquiète de voir partir sa petite protégée. Mais Colette était conquise. Elle s'était glissée dans son nouveau rôle de fiancée avec une aisance inattendue. Elle avait délaissé ses clients, riches amants que tout Paris enviait. Le duc occupait toutes ses pensées. Leur mariage serait flamboyant, romanesque, inoubliable. Son esprit devenait le théâtre de leur passion, charnelle, brillante, insensée.

Pourtant, quelques semaines plus tard, elle avait reçu une lettre. Courte, sombre, sans métaphores. De particule il n'était plus question. De mariage non plus. Il en avait rencontré une autre. Mieux valait en rester là.

Le cœur de Colette éclate. Sa vie se brise. Évanoui l'espoir d'être enfin respectée. Les filles comme elle ne devenaient jamais duchesses. Jamais pour de vrai. On ne pouvait pas se donner à tout le monde sans en payer le prix. Terminés les bouquets, les lettres enflammées, le voyage au bout du monde. Affaire classée.

Colette s'était ruée chez son duc, avait hurlé, pleuré, menacé. La porte était restée fermée. Alors elle avait sombré. Plus question de s'habiller, de sortir, d'aimer. La jeune femme était anéantie. Le Paris mondain s'interrogeait sur son absence. Ça bruissait de rumeurs, de ragots, les pires horreurs circulaient.

La déchéance de Colette faisait le bonheur de ses rivales.

Mlle Véra s'était inquiétée. Pas seulement pour les amants qui s'étaient fait la malle. Pas seulement pour l'argent qui ne rentrait plus. Colette était au plus mal.

Le médecin était venu. On avait bien essayé de la soigner, avec des herbes, des sangsues, et même un magnétiseur. Rien ne fonctionnait. Colette se mourait d'amour. Paris vengeresse restait aux mains des hommes, des traditions, des bien nés. Un matin, Mlle Véra l'avait trouvée gisant dans la baignoire.

Alors la marquise avait pris la décision qui s'imposait. Sauver Colette. Quitter la ville. Fuir les lumières, les cancans, les chroniques mondaines. Mais où se réfugier ? La reine avait de l'argent, elle avait songé au Pays basque. Pourquoi ? Parce que c'était loin de tout. Surtout de Paris. Elle connaissait quelqu'un. Elle trouverait une maison. Des occupations. Remettrait Colette sur pied. Ensuite, on verrait.

— Mlle Véra a tout quitté comme ça ? je me suis exclamée.

Nous étions à l'atelier, j'avais dû crier car Sancho est intervenu.

— Hé, la boiteuse ! il a sifflé à travers ses dents jaunies. Tu travailles mal et en plus t'es bruyante ! Soit tu la fermes, soit tu sors. On trouvera à te remplacer.

De l'autre bout de la table, Carmen me fixait d'un air mauvais. Qu'avais-je bien pu faire pour susciter autant de haine chez ces deux-là ? La vérité, Liz, c'est que les autres ont souvent conscience avant nous de ce à quoi nous sommes destinés.

J'ai baissé la tête, gênée. Colette m'a donné un coup de coude.

— Arrête de te laisser marcher sur les pieds par cet abruti !

J'ai relevé la tête, planté mes yeux dans les siens.

— J'ai besoin de cet argent. Et contrairement à toi, pas seulement pour m'offrir des robes.

Touché.

Colette a replongé dans son ouvrage. On n'entendait plus que le roulis des machines à coudre, le temps passait lentement, ma jambe me lançait.

— Et Mlle Thérèse ? j'ai soufflé au bout d'un moment.

Coup d'œil à Sancho, occupé à lorgner le fessier d'une jeune hirondelle. Colette a haussé les épaules.

— Véra n'aime pas en parler.

À l'époque, la question l'avait à peine effleurée. Colette n'était préoccupée que par sa personne. Jamais elle n'aurait imaginé survivre à son chagrin. L'évoquer provoquait encore beaucoup d'émotions chez elle.

— Tu aurais dû voir ça, Paloma ! Le jour où on est parties, Paris était en deuil.

De toute évidence, même percluse de chagrin, Colette n'en avait pas perdu le sens du spectacle. Leur départ avait eu un effet retentissant. « Les deux plus belles maîtresses de Paname se font la malle », avait titré *Gil Blas*. Les hommes pleuraient, même les femmes se lamentaient du départ de celles dont elles aimaient suivre les frasques et la vie libertine. Pour la première fois depuis longtemps les Folies Bergère avaient fermé leurs portes. Jour sombre. Paris perdait deux de ses plus belles étoiles.

Cela avait pris des semaines, des mois. Mais soutenue par Lupin, la bienveillance des Demoiselles et la cuisine de Bernadette, Colette s'était remise sur pied. L'atelier lui occupait les mains, quelques amants de passage lui occupaient l'esprit. L'inverse aussi.

C'est à ce moment-là que nous nous étions rencontrées.

En y repensant, jamais je n'aurais pu imaginer que cette jeune femme fantasque, lumineuse et féerique sortait du plus dévastateur des chagrins d'amour. J'avais perdu ma sœur, elle avait perdu ses rêves.

— Méfie-toi, Paloma, a conclu Colette. Les promesses des hommes n'engagent que celles qui les aiment.

29

Quelques jours plus tard, j'ai appris que des Espagnols venaient vendre du vin de chez moi. Je me suis glissée dans la file pour en rapporter un litre aux Demoiselles. L'institutrice ne buvait que du thé mais les autres avaient une descente plus raide qu'un cadavre. Elles refusaient que je leur verse un loyer, alors dès que j'en avais l'occasion, je tâchais de leur faire plaisir. Chez elles, je ne manquais de rien.

Arrivée au comptoir, Don Quichotte sur mes talons, j'ai reconnu Diego, un jeune homme de mon village. Je me suis jetée à son cou.

— C'est toi qui as apporté le vin ?

Hochement de tête.

— J'ai fait la route depuis Fago avec ceux qui partent aux Amériques, a-t-il répondu.

Pascual. Son merveilleux visage comme un flash sur ma rétine. Ses yeux plus verts que les pâturages. Mon cœur empapillonné.

J'ai pressé Diego de questions :

— Quelles sont les nouvelles au village ? Comment va Abuela ?

Son visage étonné. Puis dans ses yeux un éclair sombre.

— Rosa…

— Quoi ?

— Je suis désolé.

Désolé de quoi ?

— Abuela…

Sa voix n'était plus qu'un murmure. Il a hoché la tête gravement. M'a serrée contre lui.

Un silence. Un battement d'ailes. Le soleil qui se voile. Je me suis dégagée de son étreinte.

— Quoi ? Qu'est-ce qu'il y a ?

Je refusais de comprendre. Diego a baissé la voix :

— La grippe. Deux mois après votre départ.

Ses mots me parvenaient par bribes. Un écho vague, souterrain. Mes tempes bourdonnaient. Le souffle court, j'ai secoué la tête. Abuela, morte ?

Impossible. C'est impossible.

Diego m'a prise par les épaules. Figée, poings serrés, j'ai vu ses lèvres bouger, il tentait de me dire quelque chose, mais je n'entendais rien. Je ne pouvais plus rien.

Abuela.

En moi, un volcan s'est effondré. Un trou brutal au milieu de l'océan provoquant un raz-de-marée, affolant les oiseaux, les bêtes et les hommes. Une vague immense. Détruisant tout sur son passage.

Et tout ça à cause de moi.

30

J'étais seule, anéantie. Sans but, sans famille. En moi battait une rage sourde, invisible et menaçante. J'étais en colère. Contre moi et ma stupide idée de partir pour rapporter de l'argent. À quoi me servirait-il maintenant ? Il me manquait l'essentiel. Mon Abuela, mon Alma. Sans elles, je n'étais plus rien. Qu'allais-je devenir ?

Mais la vie a continué. Elle continue toujours. Les semaines suivantes, ni les Demoiselles ni Colette ne m'ont posé de questions. Elles ont accepté mes silences et mon chagrin. Avec la patience de celles qui aiment sans rien attendre en retour. Avec l'expérience de celles qui ont enduré des drames.

La vie à l'atelier suivait son cours. La fanfare jouait chaque jour. Colette enchaînait les aventures, les hirondelles étoffaient leur trousseau, et moi je chassais mes idées sombres en dessinant. Ce n'était qu'un crayon à la main que je parvenais à juguler mon désespoir. Alors j'imaginais toutes sortes d'espadrilles aussi différentes et colorées que mon cœur était brisé. Le salaire des Espagnoles partait en babioles, celui de Colette en robes et en chapeaux, le mien s'accumulait sous mon matelas. Le prix de leur mort, de ma solitude. D'une vie sans avenir.

Et si je rentrais en Espagne ? Seule, à pied dans les montagnes, juste pour sombrer à mon tour dans le ravin ? Pour retrouver Alma et Abuela ? Terminées les hirondelles, les espadrilles, les Demoiselles. Juste retour des choses. Mais j'en étais incapable. Anesthésiée, amorphe, je ne pouvais rien faire d'autre que dessiner la journée et pleurer la nuit.

À l'atelier, au fur et à mesure que le printemps approchait, les hirondelles étaient de plus en plus excitées. Seule Carmen semblait aussi désespérée que moi. La pauvre fille n'était plus que l'ombre d'elle-même. Son ventre s'était arrondi aussi vite que Sancho s'était désintéressé d'elle.

Le contremaître ne cessait de me harceler. J'étais devenue le bouc émissaire de sa médiocrité. Je ne le supportais plus. Ni lui, ni ses regards salaces, ni la menace permanente qu'il faisait planer sur moi. Il me haïssait. Patient, tapi dans l'ombre, il attendait que je dérape. Comme Alma dans la montagne.

Jusqu'au jour où ma colère a changé de visage. Jusque-là rentrée et silencieuse, elle a explosé sans prévenir.

J'avais la tête pleine du roulis des machines à coudre. Des remontrances de Sancho pour qui rien n'allait jamais assez vite. Carmen s'était présentée à l'atelier le cou rouge et l'œil gonflé. Les foulards et la poudre de riz ne pouvaient plus rien contre le naufrage qu'était devenu son mariage. Comme chaque soir, j'ai déposé sur le bureau de Sancho ma production du jour. Comme chaque soir, il a retoqué l'une de mes paires sous un prétexte irrecevable. Mais cette fois, je me suis vue lui sauter à la gorge, planter mes dents dans son cou gras. Un mot de plus et je le tuais.

J'ai quitté l'atelier sans prévenir, Don Quichotte sur mes talons. J'ai couru sans m'arrêter jusqu'à la maison des Demoiselles. La large bâtisse donnait sur un grand parc entouré d'arbres et longé par une rivière. Un courant vif qui tombait en cascade entre les rochers. Une eau brute et minérale venue des montagnes.

Seule au milieu de la forêt, échevelée, en sueur, j'ai poussé un long hurlement à m'en déchirer la gorge. Vomissant toute ma rage. Mon chagrin. Ma colère contre ce monde injuste et laid. Mes mains tremblaient. Pour quoi endurer ça ? Pour un salaire dont je ne faisais rien ? Qui était cet homme pour me donner des ordres ? Et surtout qui étais-je si je lui obéissais ?

J'ai hurlé et hurlé encore. Je n'étais plus qu'un lambeau de fillette boiteuse, une rien du tout, seule, sauvage, noyée. La campagne était calme. Les arbres nus, l'air glacé. Au loin, les montagnes enneigées comme un écho à la douleur qui me perforait.

Soudain, une immense silhouette à la peau d'ébène et à l'œil de velours.

— Laisse-moi, Lupin !

Il s'est arrêté. A attendu. Ma poitrine se soulevait, je manquais d'air, mes sanglots m'étouffaient. Mâchoire et poings serrés, je ne m'appartenais plus.

Un bruit d'ailes, de branches qui se brisent. Sur la rive est apparu un héron. Une belle bête cendrée et longiligne. Au long cou élégant et au bec orangé. Il fixait l'eau, attentif au mouvement des carpes qui troublaient parfois la surface.

— Elle ne t'a pas abandonnée, a dit Lupin.

J'ai tressailli. Droit dans son large manteau de laine, les mains dans les poches, il me regardait. J'ai baissé les yeux, mal à l'aise.

— Elle est là. Partout. Dans l'eau de cette rivière. Dans le vent sur ta peau. Dans la patience du héron, dans l'insouciance des poissons. Elle ne t'a pas abandonnée.

Il s'est approché de moi. Mon corps raide et endolori rechignait à sa présence.

— Ne laisse pas une mauvaise journée te faire croire que tu as une mauvaise vie, Paloma.

J'ai soufflé, agacée.

— C'est tout ce qui me reste, pas vrai ? *L'espoir !* « Tout ira bien, Paloma », « Ça va passer, Paloma ». À d'autres ! J'en ai assez d'espérer que tout ira bien ! Sans Alma, rien ne va bien. Rien ne va plus. Sans Abuela, je n'ai plus de racines. Plus personne ne m'attend nulle part.

J'ai éclaté en sanglots. Ce n'était plus de l'angoisse. Faire un pas de plus me semblait insurmontable.

— L'espoir, ce n'est pas de croire que tout ira bien, il a soufflé. Mais de croire que les choses ont un sens.

Une drôle d'énergie, magnétique, presque palpable, émanait de cette silhouette phénoménale. Lupin, géant invincible.

— Parle-lui. Elle est là.

J'ai sursauté. Une décharge électrique sous ma peau. Autour de moi, les troncs larges des arbres centenaires. Leurs branches tendues vers le ciel. Le bruissement des feuilles. L'eau sur la roche. J'ai frissonné. J'avais peur.

Il a posé sa main sur mon cœur et j'ai fermé les yeux. Une chaleur s'exhalait de sa paume, descendait au bout de mes bras, jusque dans mes pieds, pour se concentrer sur ma jambe boiteuse. Derrière mes paupières, des feux follets jaunes, orangés, violets. Dans mes mains, des fourmis. La chaleur s'est faite plus forte. La main de Lupin a glissé sur mon tibia. L'a brossé vivement. Comme pour le dépoussiérer. De sa bouche s'échappaient des mots inintelligibles. Et tout doucement, dans un murmure qui semblait venir de ses entrailles comme de celles de la terre, Lupin s'est mis à chanter. De sa poitrine est monté un son grave, une longue vibration hypnotisante. Les yeux grands ouverts, comme il l'avait fait la première fois, Lupin regardait à travers moi. Un long ruban chaud et puissant s'enroulait autour de moi. Je me sentais minuscule. Inexistante. Tout à coup, je n'étais plus rien. Et ça me faisait du bien.

Sur mes joues, une larme a coulé. Deux. Puis un torrent de sanglots, un chagrin profond niché entre mes côtes, sous mon thorax. C'était mon corps qui pleurait.

Un silence. Mes oreilles bourdonnaient.

Il m'a semblé qu'on me caressait la nuque. Que quelqu'un me serrait dans ses bras. Une présence réconfortante, englobante, venue du ciel et de la terre, qui me disait : *Je suis là*.

Lupin m'a souri.

— Tu peux faire tout ce dont tu rêves, Paloma. Le destin, ce n'est pas une question de chance. C'est une question de choix.

31

Je ne suis pas allée à l'usine le lendemain. Fiévreux, courbatu, mon corps avait démissionné. Lupin ne s'est pas inquiété. S'est contenté de hocher la tête et de me faire avaler des tisanes d'herbes avant de me laisser sombrer dans un sommeil sans rêves.

Le jour d'après, j'étais debout. Déterminée. J'ai extrait quelques économies de sous mon matelas. J'ai acheté une boîte de crayons de couleur, des feuilles, et une large pochette pour y ranger mes dessins. Puis je suis entrée chez la modiste de la grand-rue et je me suis dirigée d'un pas décidé vers le rayon des hommes, prise d'une envie soudaine de dilapider tout cet argent qui m'avait coûté deux vies, parmi lesquelles à mon grand désespoir ne figurait pas la mienne. Entre deux costumes du dimanche et une paire de sabots, j'ai pointé du doigt un béret. Y ai ajouté une chemise blanche et un pantalon. J'ai jeté tout ça sur le comptoir avec quelques billets. En rentrant, j'ai attrapé une paire de ciseaux dans le tiroir de la cuisine et j'ai coupé mes tresses sans un regard au miroir. Ne sont restées que de longues mèches noires éparpillées au sol. À mes pieds, mon chagrin et mon enfance.

Cheveux hirsutes et poing levé, je me suis promis de venger les deux femmes qui avaient déserté ma vie. Sancho ne pouvait plus rien contre moi. Je venais de le décider.

En réalité, aucun de ces vêtements n'était à ma taille. Avec l'aide de Colette, j'ai passé la nuit à les reprendre. Raccourcissant les manches, cousant les ourlets, resserrant la taille, le col, la ceinture, les boutonnières. Pour finir, j'ai fixé sur le béret quelques cerises et une petite marguerite. J'étais vidée mais ressuscitée.

Alors que j'allais me glisser sous les draps, Colette a pris les ciseaux et m'a fait asseoir sur la chaise. J'ai obéi. On ne s'opposait pas à Colette.

Le lendemain, je me suis présentée à l'atelier vêtue de mon nouvel uniforme. Visage déterminé sous ma coupe à la garçonne. Ravie du changement opéré. Sans me vanter, cette coiffure m'allait plutôt bien. Non, disons-le franchement, Liz, pour la première fois, j'étais *jolie.* La coupe mettait en valeur mon visage fin et mes yeux sombres.

Sancho a marqué un temps d'arrêt en me voyant. Puis il a éclaté de rire.

— Voilà le plumeau ! a-t-il raillé.

Les couseuses ont levé la tête, surprises. Ont détaillé mon pantalon à pinces. Ma chemise. Mes cheveux. Les cerises et la marguerite. Certaines ont souri. D'admiration.

Ma décision était prise : je resterais à Mauléon. Plus rien ne m'attendait à Fago. Mlle Thérèse avait proposé de me faire l'école tout l'été. Elle s'émerveillait de mes progrès et me promettait un bel avenir si j'allais au lycée. Je continuerais de travailler à l'atelier, insisterais pour participer aux dépenses de la maison. J'étais la bienvenue chez les Demoiselles, mais je tenais à ma liberté. Et à anticiper les coups du destin qui, comme je l'avais appris durement, pouvait mordre sans prévenir. Je resterais ainsi auprès de Colette à qui je m'attachais chaque jour davantage.

Ne me manquait qu'un emploi. Un emploi permanent. Les hirondelles étaient appelées à rentrer en Espagne, et j'étais des leurs aux yeux du patron. La main-d'œuvre saisonnière et clandestine n'était la bienvenue que pendant la haute saison. Le reste de l'année, les emplois étaient réservés aux Françaises.

Alors, seule et sans demander la permission, je suis allée voir Guerrero. Affublée de mon drôle de costume et de ma coupe à la garçonne. Il m'a accueillie avec entrain. La vérité, Liz, c'est que je l'amusais. Un peu comme ces singes ramenés du bout du monde que les marins promenaient sur leur épaule.

Son bureau était vaste, lumineux et encombré. J'ai détaillé les piles de livres et de papiers, le sous-main en cuir, le pot à crayons. Quelques sandales et semelles traînaient ici et là, au milieu de carnets de commandes et de courrier décacheté. Derrière la table, une photo immense de l'usine en noir et blanc devant laquelle posaient des centaines d'employés.

Le patron a fourragé sa pipe. Ses rides au coin des yeux lui donnaient un air rieur. Cet homme qui tenait mon avenir entre ses mains m'était étonnamment sympathique.

Il a désigné un siège d'un mouvement du menton.

— Je préfère rester debout.

Il a laissé passer un long silence, le regard perdu derrière la vitre.

— Monsieur, j'ai quelque chose à vous demander.

Guerrero a griffonné quelques mots sur un papier et d'un geste vague de la main m'a invitée à poursuivre.

— Je voudrais rester travailler à l'atelier. Si vous le permettez, j'ai ajouté précipitamment.

Il a levé la tête avec cette bonhomie qui le caractérisait. Est-ce que je plaisantais ?

— Nous n'employons pas d'Espagnoles passé le mois de mai. Le stock est bientôt plein. Tu pourras revenir en oct…

— Je saurai me rendre utile.

Il m'a scrutée, surpris. Fébrile, je n'ai pourtant pas flanché. Les mots de Lupin tournaient dans ma tête : « Le destin, ce n'est pas une question de chance. C'est une question de choix. » Guerrero a tiré longuement sur sa pipe. M'a observée derrière ses lunettes rondes.

— Tu as quelque chose à me montrer ? a-t-il finalement lâché.

J'avais emporté ma pochette remplie de dessins. Ces derniers mois, je m'étais appliquée à les rendre plus réalistes. Les prototypes que je cousais le soir, parfois avec l'aide de Colette, me permettaient d'affiner la cambrure de mes modèles, les broderies et même d'y ajouter des accessoires, piochés dans le merveilleux grenier des Demoiselles.

Guerrero a détaillé mes croquis. Hochant la tête devant certains, faisant la moue devant d'autres. Puis il a saisi une feuille où figurait une espadrille compensée crayonnée en noir et blanc, sur laquelle j'avais collé toute une rangée de strass et de plumes empruntés à un drôle d'éventail ornementé.

Qu'a-t-il pensé en cet instant ? A-t-il eu pitié de cette adolescente avec son béret à cerises ? Ou a-t-il eu l'intelligence de voir dans ces dessins l'avenir d'une chaussure qui de fonctionnelle deviendrait bientôt à la mode ? Sans doute un peu des deux.

Toujours est-il que j'ai été nommée secrétaire en charge des nouvelles collections. Un titre franchement ronflant et assez creux en vérité mais qui m'offrait une place à l'atelier, un but, et un avenir.

32

Les stocks de l'entrepôt ont été bientôt pleins. Les beaux jours s'annonçaient dans un redoux confortable, chanté par les premières pousses de maïs qui redonnaient quelques couleurs aux champs. Les hirondelles avaient du mal à contenir leur excitation. Dans leur chambre, leur trousseau prenait de plus en plus de place. C'est en tout cas ce que j'imaginais le soir, attablée avec les Demoiselles.

Nos soirées étaient toujours aussi festives. Si Mlle Thérèse se contentait de s'asperger d'un peu d'eau de toilette, souriant avec cette douceur si caractéristique, les deux autres ne reculaient devant rien. Robes longues, lingerie, bottines, éventails, chapeaux à plumes. Leur excentricité et leur goût pour la mode n'avaient pas de limites. J'adorais ces moments passés avec elles. J'avais pris du poids, des formes, et mes connaissances en danse comme en anatomie masculine rivalisaient presque avec celles de Colette. *Presque.* Mes rêveries de jeune fille romantique restaient entièrement tournées vers Pascual. Sa carte trônait en bonne place au-dessus de ma coiffeuse. Un jour, il reviendrait. Et je me jouais chaque soir le scénario de son retour.

Je regrettais parfois de ne pas pouvoir partager ces moments avec les hirondelles. Il y avait bien les pauses à l'atelier, mais je n'étais plus des leurs.

Et puis le printemps est arrivé. Nous étions fin avril quand, comme tous les autres jours, la fanfare est entrée dans l'atelier. La grosse caisse, la trompette et le trombone ont joué un de leurs airs entraînants. Mais cette fois-ci, les couseuses ont arrêté leurs machines. Un étrange silence a rempli la salle. La voix aiguë d'une hirondelle est montée au milieu des tissus, des semelles et des bobines. Puis une deuxième. En quelques secondes, toutes les jeunes filles se sont mises à chanter. Des dizaines de voix claires ont résonné dans le hangar. Joyeuses, enthousiastes, libres.

Sancho a essayé de les faire taire, postillonnant sous sa moustache. Il restait encore du travail ! C'était lui qui décidait, nom de Dieu ! Mais les hirondelles n'écoutaient plus. Les paumes ont claqué. Sifflets, coups de talons, hourras, tout a explosé d'un coup. Une jeune fille a grimpé sur la table, dos cambré, menton relevé, le regard fier sous ses longs cheveux sombres. Une deuxième l'a rejointe, puis une troisième. Bientôt des douzaines d'hirondelles dansaient au milieu des machines, le rire clair, les yeux brillants. Les mains sur les hanches, elles lançaient leurs jambes en l'air avant de tourner sur elles-mêmes, se prenant le bras dans une explosion de joie. Je riais de leur enthousiasme autant que des gesticulations de Sancho, qui a bientôt déserté le hangar pour aller chercher du renfort. Les hirondelles n'en avaient plus rien à faire. Sancho n'était plus leur maître. Il ne l'avait jamais été. Elles avaient dompté leurs peurs, donné corps à leurs rêves.

Aussi chargées que les mules qui les accompagnaient, les hirondelles ont pris la route le premier jour de mai. Saluées par les arbres en fleurs et le meuglement des vaches. Sur leurs têtes de grands foulards remplis de trésors. Durement gagnés. Le temps où je me moquais d'elles était loin. Ces filles avaient gagné mon respect.

La nature se préparait à l'été comme les hirondelles à leur mariage. Pour certaines, il y aurait d'autres saisons à venir ici, au Pays basque. La plupart étaient bien jeunes. Elles reviendraient compléter leur dot, mettre de côté un peu d'argent. Ou parfaire encore ce trousseau qu'elles ne devraient qu'à elles-mêmes.

Elles ont pris la route dans un grand éclat de rire, portées par leurs chants. Certaines m'ont embrassée, pas très claires sur ce qu'il convenait de me souhaiter. L'auraient-elles croisé qu'elles auraient même salué Sancho. Leur joie de vivre emportait tout sur son passage.

Mais Sancho n'était pas là.

Un peu plus bas dans la ville, Carmen hurlait dans une chambre, encouragée par une sage-femme. L'accouchement a duré des heures, rien n'a été épargné à la pauvre gamine qui criait sa rage bien plus que sa douleur.

Une petite fille a fini par voir le jour. On l'a nommée Angèle.

Tandis que d'autres franchissaient les montagnes en riant, Sancho a considéré le nouveau-né – flétri, rouge, bruyant. Décidément, il n'y avait que les Espagnoles pour pondre des mioches aussi laids ! Il l'a considéré longuement. Et pour la première fois a affleuré à son esprit l'idée que cet enfant n'était peut-être pas le sien.

33

Les mois ont passé, les bouchons de champagne ont continué de sauter. On dansait, on chantait, régalées par Lupin et Bernadette au piano, l'un au salon, l'autre en cuisine. Pourtant, derrière l'application et l'entrain que les Demoiselles mettaient à faire de ces dîners des moments mémorables, perçait parfois une mélancolie discrète. Un regard flou, un sourire absent. Derrière les éclats de rire de Colette passait de temps à autre l'ombre d'Édouard. Un drôle de spleen dont elle ne parvenait pas à se débarrasser. Quant à Mlle Véra… Est-ce que Paris lui manquait ? Je n'en étais pas certaine. Qu'est-ce qui pouvait la tourmenter, elle à qui tout avait réussi ? Cela n'avait rien à voir avec ses anciens amants, je le sentais. Mais quelque chose m'échappait.

À l'usine, le patron avait fait mettre à ma disposition un bureau pour que je dessine. Je m'y rendais souvent tôt le matin, ou au moment du déjeuner, et c'était l'occasion d'observer M. Guerrero gérer les stocks, les employés, les commandes et les clients. De mon côté, je lui offrais tous mes dessins sans demander davantage que mon salaire pour les espadrilles que je confectionnais. Cela ne me dérangeait pas. Au contact du patron, j'apprenais beaucoup. Les stocks se vidaient doucement, les commandes reprendraient à l'automne, au retour des hirondelles. Je profitais de ces temps plus calmes pour peaufiner mes croquis, consulter des magazines de mode, affiner ma connaissance des tissus, des techniques, des couleurs. Colette quant à elle m'aidait à fabriquer des prototypes et à améliorer ma couture.

Sancho restait la seule ombre au tableau. Après la naissance d'Angèle, Carmen a rapidement été enceinte à nouveau. Le contremaître sentait l'alcool. Son humeur était sombre. Une rage sourde couvait en lui, qui ne présageait rien de bon.

Et puis août est arrivé, et l'usine a fermé. Il faisait chaud, les commandes avaient été honorées, le personnel était prié de revenir aux vendanges. J'allais avoir seize ans. Les anniversaires étaient sacrés pour la marquise. Un prétexte tout trouvé pour faire la fête. Aussi, à cette occasion, Mlle Véra s'est mis en tête de me faire découvrir Biarritz.

Lupin a mis la main sur une deuxième voiture. Un long véhicule décapotable, avec un klaxon qui donnait envie de prendre le volant rien que pour faire sursauter les vaches. Bernadette nous a souhaité bon voyage, après avoir rempli une grande malle en osier d'encas savoureux.

— Viens avec nous ! a proposé Colette.

Bernadette était embarrassée. Bien sûr qu'elle rêvait de voir la côte, et plus encore de monter dans une automobile, mais qu'allait dire Robert ?

— Je lui parlerai ! a tranché Colette. Nous rentrerons avant la nuit ! On lui rapportera du vin et des huîtres ! Tu peux pas refuser !

Nous nous sommes donc tous mis en route, une drôle d'équipée à deux voitures, conduites l'une par un géant et l'autre par un petit rondouillet à casquette au visage balafré. À l'arrière de la première voiture, les Demoiselles, chapeautées de plumes, parées d'ombrelles et d'éventails. Dans la seconde, Bernadette et moi. Et bien sûr Colette, rouge aux lèvres, khôl autour des yeux et parfum capiteux. Fidèle à mon uniforme, je portais une chemise blanche sur une jupe-culotte sombre. Sur mes cheveux courts, un canotier paré d'un ruban rouge et piqué de fleurs fraîches. Pour qu'elle ne soit pas en reste, Colette avait prêté à la cuisinière une robe et un chapeau large richement décoré. De loin, on aurait dit que Lupin et Marcel conduisaient un troupeau d'autruches au cabaret.

Notre joyeux convoi a fait l'effet d'un coup de tonnerre dans le village. Nos voisins n'étaient pas habitués à nous voir sortir ensemble. Nous nous faisions discrètes, réservant nos tenues de fête pour nos dîners, dans l'intimité de notre salon. Mais ce jour-là, emportées par l'été, le vent frais et la promesse d'une virée inoubliable, nous n'avions que faire de leurs regards ahuris et choqués.

La campagne basque était belle. Les champs brillaient, illuminés par les maïs dorés, les routes rafraîchies par le vert des forêts. Au loin, les Pyrénées, majestueuses, ne m'inspiraient plus la même terreur qu'à mon arrivée. La présence de Lupin m'apaisait. À ses côtés, j'avais appris à écouter les signes, à m'accommoder d'une réalité plus complexe, moins tangible. Je boitais moins et la douleur dans ma jambe avait disparu.

Après un déjeuner dans le charmant petit village d'Espelette, nous avons finalement atteint la côte. Et là, j'ai découvert Biarritz. La ville, ses voitures, ses boutiques. Son océan, sa grande plage. Ses palaces. L'après-midi est passé entre bains de mer, beignets sucrés, gloussements et fous rires. Comme moi, Bernadette se baignait pour la première fois. Le tableau de nos deux silhouettes effrayées pataugeant dans les vagues mettait Colette au bord des larmes. Elle riait à s'en tenir les côtes. Vêtue d'une combinaison rayée qui ne laissait rien ignorer de ses formes merveilleuses, la belle blonde était en un clin d'œil devenue l'attraction de toute la plage. Portée par les regards des hommes élégants qui passaient sur la promenade, elle rayonnait.

Mlle Véra avait-elle perçu aussi cet éclat particulier dans ses yeux ? Alors que le soleil déclinait et que nous avions promis de rentrer avant la nuit, la reine a décidé que nous irions passer la soirée au casino. Nous n'avions rien emporté comme tenues pour le soir ? Qu'à cela ne tienne ! La ville regorgeait de boutiques, nous n'aurions qu'à nous laisser surprendre ! Mlle Véra n'avait pas son pareil pour illuminer le quotidien. Elle avait gardé de son passé ce goût pour la fantaisie. Nul doute que ses amants couronnés se battaient pour ses charmes tout autant que pour croquer un peu de cette légèreté.

Seule Bernadette hésitait. Elle n'avait pas encore compris que nous avions toutes notre place auprès de Mlle Véra.

— Essaie ça, Bernadette ! a lancé Colette en pointant du doigt une robe du soir ourlée de franges perlées.

Écarlate, mal à l'aise sous son chapeau à plumes, la cuisinière n'osait pas bouger.

— Allez, Bernie ! Pas de chichis avec nous !

Colette ne s'encombrait pas du statut social des gens qui l'entouraient. Dans son monde, les filles des rues côtoyaient les plus riches, la roue tournait aussi vite que les verres se remplissaient. Seuls comptaient le plaisir et la fête.

Bernadette s'est bientôt laissé prendre au jeu. Ne reculant devant aucune exubérance pour notre plus grand bonheur.

Deux heures plus tard, nous étions attablés sous des lustres en cristal presque aussi brillants que les diamants qui ornaient le cou de Mlle Véra. Marcel et Lupin n'ont pas pu cacher leur admiration en voyant Bernadette descendre le grand escalier de l'hôtel du Palais où nous avions réservé plusieurs chambres. Colette avait fait des miracles. Sa robe, ses cheveux, jusqu'à ses ongles peints, la cuisinière était méconnaissable. Marcel quant à lui ne perdait rien de sa gouaille. Avec son haut-de-forme et son nœud papillon, on aurait dit un vieux banquier croisé avec un voyou. Quelque chose en lui persistait à me mettre mal à l'aise.

Encouragée par quelques coupes de champagne, Bernadette, entière et spontanée, nous a abreuvés toute la soirée des potins les plus rocambolesques sur le village. Mlle Véra et Colette voulaient tout savoir et la cuisinière n'avait pas son pareil pour croquer les figures de Chéraute et de Mauléon.

— Je vous remercie de m'avoir invitée, a-t-elle dit au bout d'un moment.

Mlle Véra a balayé ces politesses d'un geste de la main.

— Ne me remercie pas ! Reprends donc un peu de champagne ! Et parle-nous de ton Robert !

La cuisinière a fait la moue.

— Bah, c'est pas un mauvais bougre ! Quand je l'ai connu, il était romantique. Le problème, c'est qu'il est jaloux. Le reste, on s'en arrange. Moi, j'suis prêteuse. Il peut s'ouvrir l'appétit ailleurs tant qu'il mange à la maison. Mais la jalousie, ça…

Dans ses yeux, un éclair sombre. Mlle Thérèse s'est raclé la gorge, gênée.

— Le mariage est une belle journée, mais il y a trop de lendemains, a conclu la jeune cuisinière.

Sourire de Marcel.

— *Amen !* a lancé Mlle Véra en levant son verre. C'est pas Thérèse qui dira le contraire, hein, Thérèse !

L'institutrice a levé les yeux au ciel. La tension entre les Demoiselles surgissait toujours quand on s'y attendait le moins. Véra l'aiguillonnait avec une passivité discrètement agressive qu'elle n'appliquait qu'à elle. La plupart du temps, lorsque nous étions présentes, Mlle Thérèse se contentait de faire la sourde oreille. Mais il arrivait que leurs échanges dégénèrent en disputes phénoménales sur des sujets sans intérêt, parmi lesquels Gédéon et ses chansons paillardes tenaient un rôle récurrent. Pour tous les autres, moi la première, la marquise se montrait généreuse et bienveillante. Le contraste était désarmant.

Un escadron de serveurs a rejoint la table et soulevé des cloches en argent desquelles se sont échappées toutes sortes d'odeurs réjouissantes.

— Mazette ! s'est exclamée Bernadette, aussi impressionnée par le contenu de son assiette que par le rituel qui l'accompagnait. M'sieur Lupin, va falloir qu'on se mette au niveau en rentrant !

Grand sourire de Lupin. Impeccable dans son costume crème, le géant sombre était plus beau que jamais. Son élégance était intemporelle, presque irréelle. Cet homme semblait tout droit sorti d'un conte. Avait-il vraiment été la propriété d'un cirque ? Je ne pouvais pas y croire. Sentant mon regard sur lui, il m'a fait un clin d'œil.

— Mangeons bien, mourons gras ! s'est exclamée Bernie tout en nouant une serviette autour de son cou.

Le dîner était une pure merveille. Je me sentais bien en compagnie de cette joyeuse troupe. Colette riait trop fort, Bernadette, grisée par le vin, poussait la chansonnette. Pressé par Mlle Véra, Lupin s'est mis au piano, après s'être platement excusé auprès du pianiste en titre. Ses sonates étaient barbantes, avait tranché Mlle Véra, avant de demander à Lupin de nous jouer un morceau. Dieu que nous étions bruyants ! Je ris encore à y repenser. Les autres tables n'ont pas caché leur soulagement quand nous avons finalement mis les voiles.

— Qui m'aime me suive ! a lancé Mlle Véra une fois le dessert englouti.

Notre groupe emplumé, joyeux et sonore s'est mis en route pour le casino. Un monstre Art déco majestueux, dressé sur la grande plage, les pieds dans l'océan. À l'intérieur, l'ambiance battait son plein. Chapeaux, cigares, robes scintillantes. Dans l'air, le parfum de patchouli de Colette se mêlait à celui de la fumée de cigarette. Après un rapide tour d'horizon dispensé par une Mlle Véra toujours très à l'aise, je me suis attablée, jetons en main, devant un large tapis vert. Un orchestre s'est mis à jouer. Un air joyeux, rythmé, terriblement entraînant. Et c'est là, au milieu du vacarme des machines à sous, des cris des croupiers, des joueurs et des pièces qui dégringolaient des vestons des messieurs jusque sur les tables, que le charleston est entré dans ma vie.

J'ai cherché les musiciens des yeux. Qui pouvait produire une telle merveille ? Je maîtrisais comme je pouvais le fourmillement plaisant qui envahissait mes jambes, quand un homme s'est assis à côté de moi. La vingtaine, des yeux bleu marine, une moustache fine et un sourire de travers. Doté d'un charisme qui renversait tout sur son passage. Un dandy avec un je-ne-sais-quoi d'à la fois rusé et bancal qui me l'a rendu immédiatement sympathique. Il a détaillé mon canotier à fleurs, mes cheveux courts et ma drôle de dégaine de garçon manqué. Et il a souri, dévoilant deux larges fossettes.

— Cigarette ?

Surpris, il a accepté, j'ai craqué une allumette. Il m'avouerait plus tard que c'est à ce moment-là qu'il était tombé amoureux.

— Misez sur le cinq, a-t-il lancé.

J'allais lui rétorquer que j'étais bien assez grande pour savoir quel numéro jouer quand j'ai remarqué qu'il n'avait pas de jetons.

— Faites vos jeux ! a crié le croupier.

Emportée par la trompette et la grosse caisse qui jouaient derrière moi, j'ai poussé deux pièces sur le cinq. Coup d'œil à mon voisin. La contrebasse, le piano, le swing. J'ai posé tous mes jetons sur le tapis.

— Rien ne va plus ! a assené le croupier.

Sourire amusé de mon voisin.

— Si vous gagnez, je vous épouse !

J'ai haussé les épaules. Dans la roue, la boule n'en finissait plus de rebondir. Derrière moi, la trompette hurlait, mes épaules, mes hanches, mes pieds, tout me démangeait.

— Vous dansez le charleston ? m'a-t-il demandé.

— Le quoi ?

— Suivez-moi !

— Et la roulette ?

Quelques notes de piano. Une trompette enthousiaste. Il a planté ses yeux dans les miens et m'a entraînée sur la piste. J'ai à peine eu le temps de paniquer que la salle s'est mise à tressauter en rythme, le corps pulsant en accord avec le swing du contrebassiste, les bras se balançant au rythme des jambes. Chevilles, genoux, poignets, tout se désarticulait. Étaient-ils tous boiteux ? Cette danse était proprement merveilleuse ! Les bras en l'air, un peu timide, j'ai imité cette étrange invocation à la pluie complètement farfelue. La musique était contagieuse, en quelques instants je me suis retrouvée à taper des pieds et à rouler des yeux et des épaules. Quel bonheur !

— Le cinq ! a crié le croupier.

La table a applaudi. Je venais de remporter un sacré paquet. Exaltée par ce rythme fou, j'ai poussé un cri de joie avant d'embrasser mon cavalier. Le dandy m'a regardée, sonné. Charmé.

L'orchestre a accéléré. Sur la piste, Colette, survoltée, enchaînait les passes avec un brun ténébreux à la mâchoire carrée. Colliers, plumes et robes, tout volait dans une frénésie haletante. Autour de nous, les silhouettes se cambraient, les corps se renversaient, emportés dans des acrobaties périlleuses. J'avais envie de rire et de crier. Dieu que c'était bon !

Essoufflée, j'ai fini par regagner ma table. L'orchestre repartait déjà pour un nouveau morceau. Mon cavalier en canotier et complet blanc s'est approché.

— C'est quoi ton nom ?

Je m'apprêtais à répondre quand des éclats de voix ont retenti. Un attroupement. Des cris.

Colette.

Je me suis précipitée vers la foule qui déjà s'agglutinait autour de la table. Une rousse tout en fourrures prenait à partie le brun à la mâchoire carrée. De toute évidence, elle n'avait pas apprécié l'engouement de son fiancé pour Colette et son décolleté. Ma jolie blonde a haussé les épaules : pour elle l'affaire était réglée, c'était le pauvre vieux qui allait passer une mauvaise soirée, pour ce que ça pouvait lui faire…

Mais une voix stridente s'est interposée :

— Qui osez-vous traiter de traînée ?

Bouche pâteuse, timbre rauque. Je me suis retournée. Mlle Véra, une coupe à la main, pointait du doigt la rousse.

— Laisse tomber, a lancé Colette.

— Qui osez-vous traiter de traînée ? a répété Mlle Véra sans bouger, plus fort cette fois.

Lupin l'a saisie par le bras tout en lui glissant quelque chose à l'oreille. La reine s'est dégagée vivement de son étreinte. Il n'était pas question de s'en aller. Elle a insisté :

— Parce que t'oses croire que t'es mieux qu'elle ?

— Marie, ça suffit !

Mlle Véra s'est figée. Dans son regard, un éclair noir. Elle s'est retournée. Face à elle, Mlle Thérèse, impeccable dans sa robe en velours sombre. Mâchoire serrée, soudain étrangement calme, Mlle Véra a lâché :

— Et évidemment, il faut que la nonne s'en mêle !

Silence. Lupin et Colette se sont regardés. L'heure n'était plus à la fête.

— Véra, viens, on rentre, a lâché Colette.

— T'as honte de moi, pas vrai ?

La phrase a claqué dans l'air. Mlle Véra ne quittait pas l'institutrice des yeux. Autour, la foule, muette, observait.

— Dis-leur ! Dis-leur que je te fais honte ! a explosé Mlle Véra.

Échevelée, le visage rouge, elle n'avait plus rien de celle que je connaissais. Défigurée par la rage, rendue hagarde par l'alcool, elle suintait une colère trop longtemps contenue.

L'institutrice a secoué la tête, défaite. Mais l'autre était lancée.

— Regardez, c'est ma sœur, la traînée ! a croassé Mlle Véra en imitant gauchement la vieille dame. Celle qu'on a sacrifiée ! Et sacrifiée pour quoi ? Pour offrir une éducation à sa sœur. La gentille petite Thérèse !

— Véra, je t'en supplie..., a soufflé la vieille dame.

— La nonne et la putain ! a hurlé Véra. Regardez-nous !

Elle a attrapé la main de Mlle Thérèse et l'a levée vers le ciel.

— Ça vaut tous les numéros de cirque, pas vrai ?

Mlle Thérèse s'est dégagée, la marquise a esquissé une révérence, mais sa cheville s'est tordue, le verre s'est renversé, Lupin l'a rattrapée. Sans un mot et d'un bras ferme, il l'a escortée hors de la salle tandis que la marquise hurlait toutes sortes d'obscénités. Un silence gêné a parcouru l'assemblée, l'orchestre s'est remis à jouer, la roulette à tourner.

— Rien ne va plus ! a crié le croupier.

Sur la joue de Mlle Thérèse, une larme a coulé.

34

L'institutrice, Bernadette et moi avons pris la route à l'aube, conduites par Marcel.

La veille, après l'esclandre, j'avais raccompagné Mlle Thérèse à sa chambre. Elle n'avait pas prononcé un mot tandis que nous remontions les couloirs richement décorés de l'hôtel du Palais.

— Ma mère nous a abandonnées.

Mlle Thérèse avait lâché ça d'une voix sourde, tandis que derrière nous Biarritz et l'océan disparaissaient. Une pluie drue arrosait les champs. Bernadette dormait, pelotonnée sur la banquette.

— Elle s'appelait Jacqueline. J'avais huit ans quand Marie-Claude est née.

Dans la voiture, un silence épais. Au volant, Marcel n'a pas cillé.

— Jacqueline peinait à joindre les deux bouts. Nous habitions un petit village près de Pau, elle avait du mal à m'élever. Alors à la naissance de ma sœur, elle a pris la décision qui selon elle s'imposait. Cette vie était trop dure. À trois, nous n'y arriverions jamais.

L'automobile cahotait sur la route, évitant les flaques et les nids-de-poule comme elle pouvait.

— Jacqueline avait pour seule famille sa mère, Alberte, une vieille femme mauvaise, aigrie et pingre. Entre elle et nous, aucune trace d'affection, de tendresse ou d'amour. Un cœur sec. C'est à elle que notre mère nous a laissées, ma sœur et moi. Elle s'était mis en tête de monter à Paris, mener la grande vie, devenir quelqu'un. C'était une question de mois, ensuite elle reviendrait nous chercher. C'est en tout cas ce qu'elle prétendait. Elle a rassemblé toutes ses économies. Elle savait qu'Alberte nous mettrait au travail dès qu'elle pourrait, de préférence sur un trottoir si ça pouvait rapporter. Ça permettrait de manger. Alors elle m'a confiée aux sœurs du couvent pour que je reçoive une éducation.

Derrière la vitre, l'institutrice regardait la ville s'éclipser au profit des champs et des forêts.

— Mais elle n'avait les moyens que pour une seule. Une seule petite fille.

Sa voix s'est enrouée.

— Notre mère est partie. Marie-Claude est restée avec la vieille Alberte. Elle était jeune, elle ne marchait pas encore. Adviendrait que pourrait.

Elle a levé les yeux vers moi. Sur son visage, une tristesse insondable. Mon cœur s'est serré.

— Alberte et Marie-Claude venaient me rendre visite de temps à autre chez les moniales. L'internat était rude, l'enseignement exigeant, mais je mangeais à ma faim. J'avais de la peine pour la souillonne mal coiffée qu'était devenue ma sœur. Moi j'apprenais à lire, à écrire, à prier. Elle, elle croupissait dans un taudis, maigre, le visage sale, la tête pleine de poux.

Je n'avais pas de mal à imaginer les conditions de vie de la petite Marie-Claude. Quelque chose dans cette enfance me rappelait la mienne. À la différence près que ma mère ne m'avait pas abandonnée. Du moins pas de son plein gré. Elle était morte en donnant la vie à mon frère. Qui lui non plus n'avait pas survécu. C'est triste à dire mais à l'époque, Liz, c'était chose courante. J'ai oublié sa voix et son visage – elle était belle, disait Abuela – mais parfois, la nuit, j'entends encore ses cris de souffrance.

Le visage tourné vers la vitre, Mlle Thérèse continuait de raviver ses souvenirs.

— Ma mère s'est fait embaucher dans une maison de passe sordide. Elle a été emportée par une pneumonie quelques mois plus tard dans l'indifférence la plus totale. Personne n'a pris la peine de nous prévenir – quelqu'un savait-il au moins que nous existions ? Alors à treize ans, Marie-Claude s'est mis en tête de la retrouver. Alberte lui a souhaité bon vent. Une bouche de moins à nourrir.

À ma droite, Bernadette ronflait doucement. La pluie s'est mise à tomber plus dru. Sous l'assaut des gouttes qui frappaient la capote, je devais tendre l'oreille pour entendre la voix frêle de l'institutrice.

— Marie-Claude s'est installée à Paris. Les débuts ont été très durs. Je lui envoyais de l'argent, des vêtements, de quoi manger. Je ne l'ai jamais jugée. Jamais. Chaque soir je priais pour qu'elle revienne. Après quelques années difficiles, elle a rencontré un homme. Il lui a payé un appartement, des vêtements, une voiture. Tout à coup, elle est devenue quelqu'un. Je continuais de lui écrire, l'institutrice que j'étais faisait de son mieux pour l'aider, la conseiller, mais la distance rendait les choses compliquées. À l'époque, elle savait à peine lire. Dès qu'elle a pu, elle s'est offert les cours d'un professeur. Intelligente, elle n'avait qu'une obsession : rattraper l'éducation dont elle avait été privée. Littérature, histoire, géographie... Elle voulait tout savoir et tout la passionnait. Une chose est sûre, Paloma, si l'occasion lui en avait été donnée, Marie-Claude aurait pu faire de grandes études.

Derrière le volant, Marcel, muet, ne manifestait aucune réaction. Comme s'il savait déjà tout de cette histoire.

— Les lettres de Marie-Claude se sont espacées, je la savais en sécurité, elle gagnait bien sa vie. Quant à moi, je me suis mariée, par tradition, par éducation, par formalité. Mais mon mariage a rapidement tourné au vinaigre. Mon mari me répétait que j'étais trop sérieuse, trop stricte, trop triste. Je n'étais pas une épouse à la hauteur de ses... attentes.

Elle a eu un geste vague de la main.

— Il avait sans doute raison. C'est comme si une partie de moi était en deuil. Il ne me voulait pas de mal, seulement vivre sa vie, avec une femme qui l'aimerait et qui lui ferait des enfants. Alors nous avons divorcé, pour qu'il puisse recommencer à zéro, pour que je sois libre. Et il est parti.

— Vous l'aimiez ?

Le son de ma voix m'a surprise. L'institutrice s'est tournée vers moi. A secoué la tête.

— Je ne crois pas. Certaines sont faites pour l'amour, Paloma, d'autres pas.

Dehors, les pousses de maïs pliaient sous la pluie, les vaches ruminaient sans se soucier de l'eau qui ruisselait sur leur dos. Dieu que cette région peut être morose quand elle est grise !

— Et puis quelques années plus tard, alors que je ne recevais plus de nouvelles d'elle qu'à Noël ou pour mon anniversaire, Marie-Claude m'a écrit pour me dire qu'elle rentrait. Un matin, elle est arrivée avec Marcel, Lupin et Colette. La jeune femme n'allait pas bien du tout, nous ne serions pas trop de quatre pour la remettre d'aplomb. J'étais heureuse de retrouver ma sœur. Elle aussi. Du moins au début. Je la pensais comblée par cette vie fastueuse qu'elle s'était construite et qu'elle ne devait qu'à elle seule. Mais malgré les bijoux, l'argent, la renommée, ma sœur ne m'a jamais pardonné. D'avoir été choisie. D'avoir été sauvée. L'amour n'exclut pas la haine, Paloma.

J'ai hoché la tête, navrée.

— La suite, tu la connais.

La vie avait réuni les deux sœurs au Pays basque. L'une voulait y finir sa vie à l'abri des regards indiscrets, l'autre en profiterait pour expier. La vieille institutrice était rongée par la culpabilité, l'autre par une colère sourde. En résultaient des disputes homériques. Comme la veille au casino.

Je cherchais les mots pour consoler Mlle Thérèse. Évidemment qu'elle n'y était pour rien. Mais je savais mieux que personne que le chagrin allait parfois se nicher dans des endroits inattendus. J'étais responsable de la mort d'Alma. Et même si Lupin faisait de son mieux pour me défaire de cette idée, un bout de moi en était persuadé. J'ai revu le visage souriant de ma sœur. La montagne. Le ravin. Entendu de nouveau son cri quand elle était tombée. Que penserait-elle en voyant celle que je devenais ? Serait-elle fière ? M'en voudrait-elle, elle aussi ?

— Je suis désolée que tu aies eu à assister à cela, Paloma, a conclu l'institutrice. Mais c'est sans doute le signe que tu fais partie de notre famille désormais.

Elle a eu un petit sourire triste. Je me suis retenue de la serrer dans mes bras. Mlle Thérèse n'avait pas envie d'être sauvée. C'était elle la sauveuse. Elle qui devait endurer le chagrin de Véra. Purger sa peine. Nous portons en nous de drôles de fardeaux qui nous ont été confiés dans l'enfance, Liz. En écoutant Mlle Thérèse, j'ai compris qu'une vie n'était pas toujours suffisante pour s'en délester.

La pluie s'est calmée. Au loin, le ciel se dégageait. L'automobile est entrée dans le village. La maison aux volets bleus nous attendait. Et puis soudain, Marcel a pilé.

— Restez ici, ne bougez pas ! a-t-il lancé avant de bondir de son siège.

Devant la porte, un fusil à la main, un homme nous attendait. Mal rasé, les joues rouges, un pantalon taché porté trop bas sur les hanches. Défiguré par la colère, l'homme s'est approché. A braqué son fusil vers la vitre. Mlle Thérèse et moi avons poussé un cri. Bernadette s'est réveillée. Avant de hurler à son tour, terrorisée.

— Traînée ! a crié Robert.

Et il a tiré.

35

Robert a hurlé, une main sur son tibia. Marcel s'était jeté sur lui. Dans sa main, un revolver. Il avait tiré le premier.

J'étais choquée. Non par le sang qui ruisselait du pantalon du gros bonhomme mais par l'expression du visage de Marcel. Cet homme se promenait avec une arme. Et de toute évidence il était prêt à tuer.

Bernadette s'est précipitée hors de la voiture. Recroquevillé sur lui-même, Robert gémissait. Elle l'a relevé, a bafouillé quelques mots d'excuse, et ils sont partis. Mlle Thérèse a disparu dans sa chambre. Marcel a rangé son arme et vidé la voiture. Affaire classée. Par terre gisait le chapeau de Bernadette, ses plumes souillées flottant dans la boue.

J'étais sonnée.

Le lendemain, Bernadette s'est présentée chez les Demoiselles l'arcade brisée, l'œil noir, le nez cassé. Robert n'avait pas apprécié qu'elle découche sans prévenir. Il lui avait souhaité un bon retour avec ses poings, des mots d'amour comme il en connaissait plein. Des mots qui un jour finiraient par la tuer.

Alors Mlle Véra a demandé qu'on lui prépare une chambre. Et Bernadette est restée. Elle m'avouerait plus tard que ce qu'elle craignait bien plus que les coups de Robert, c'était de lui pardonner. Mlle Véra l'avait mise en garde : s'il recommençait, c'est Marcel qui se chargerait de lui.

Nous n'avons bien sûr pas reparlé de l'incident du casino. Le quotidien des Demoiselles a repris son cours comme si de rien n'était. Mlle Thérèse à l'école, Bernadette en cuisine, Colette et moi à l'atelier, Gédéon dans le salon, inconscient du drame qui s'était joué en son absence. Quant à Mlle Véra, elle disparaissait parfois sur la côte avec Lupin pour prendre l'air et revivre un peu sa jeunesse dorée.

D'abord discrète, Bernadette s'est peu à peu jointe à nos séances de confidences nocturnes. Sous prétexte de nous porter du thé ou une bouillotte, elle toquait à notre porte une fois la nuit tombée. Elle tendait l'oreille à nos gloussements, souriait, un peu gênée. Jusqu'au jour où Colette l'a invitée à rester. Bernadette ne s'est pas fait prier. À son tour, elle a découvert à travers les récits de Colette les mille et un plaisirs que pouvaient nous procurer les hommes. Comment les charmer, les séduire, se faire aimer. En un mot, Colette nous dévergondait.

De mois en mois, notre trio a bientôt trouvé ses marques. Nous accompagnions parfois Bernadette au marché, pour le simple plaisir de regarder les hommes. Avec une discrétion toute relative, nous commentions ce qu'il y avait « au menu ». Du boucher au postier, du vendeur de journaux au curé, aucun mâle n'échappait à notre œil affûté. Et à ce jeu, Bernadette s'est bien vite révélée imbattable.

— Lui, s'il venait dormir à la maison, j'irais pas coucher dans la baignoire ! s'exclamait-elle devant les biceps d'un ouvrier.

— Joli menton ! Dommage qu'ils soient trois ! renchérissait Colette avec un grand sourire au vieux Michel qui ne pouvait s'empêcher de s'humecter les lèvres à chaque fois que la belle blonde passait.

— Lui il est mignon, mais on n'en ferait pas un élevage, assenait Bernadette, moqueuse, devant le fils du maraîcher, un bel apollon qui peinait néanmoins à distinguer un concombre d'une courgette.

Ces séances finissaient irrémédiablement dans un fou rire incontrôlable. Nous étions odieuses, Liz, mais c'était délicieux.

Je n'étais pas en reste pour commenter tout ce qui me passait sous le nez. Mais sous mes dehors fanfarons, je pensais toujours à Pascual, cristallisant sur lui mes rêveries les plus intimes. Il était l'objet secret de mes fantasmes d'adolescente. La dispute entre les Demoiselles le soir de mon anniversaire avait éclipsé le souvenir du danseur de charleston en complet blanc. Je l'avais tout simplement oublié. Quand je le lui avouerais des années plus tard, il aurait cette drôle de moue qui me fait rire encore aujourd'hui. Le nez tordu, une main sur le cœur, exagérément affligé, il s'écrierait : « Ah, Rosa ! Heureusement que mon cœur battait pour deux ! » Une chose est sûre, Liz, lui ne m'avait pas oubliée.

Deux ans avaient passé quand je l'ai croisé alors qu'il sortait du bureau du patron. C'était un matin de novembre, l'atelier était calme, le soleil pas encore levé.

— C'est donc ici que tu te cachais ?

J'ai sursauté. Levé les yeux de ma planche à dessin. Vêtu d'un pantalon d'ouvrier et d'une chemise trop large, il n'avait pourtant rien perdu de sa superbe. Il a allumé une cigarette et m'a saluée d'un signe de tête.

— Je ne me cachais pas, j'ai rétorqué, menton relevé, en remettant une mèche de cheveux derrière mon oreille.

Don Quichotte a miaulé. C'était devenu un gros matou plein de panache, qui promenait ses moustaches un peu partout sur mes dessins, jouant avec les crayons, les rubans, penchant la tête devant les croquis qu'il appréciait. Ce chat, Liz, avait un goût très sûr. Lupin prétendait qu'il était la réincarnation d'un couturier florentin.

Le danseur de charleston s'est approché. Il a fouillé dans sa poche et déposé sur la table quatre jetons carrés. Verts et brillants. Me sont revenus le croupier, la roulette, la trompette, le piano, notre danse endiablée. J'avais gagné une bien belle somme. Et depuis tout ce temps, il l'avait gardée.

— C'est à toi. Va falloir qu'on y retourne ! a-t-il lancé avec cette nonchalance qui le caractérisait.

Son sourire de travers m'amusait.

— T'es partie si vite que j'ai même pas eu le temps de me présenter. Henri, enchanté.

— Je m'appelle Rosa, j'ai lâché avant de me remettre à dessiner.

Il était charmant mais je n'étais pas intéressée.

— Tu le connais bien le patron ? m'a-t-il demandé. Je cherche une place de contremaître.

— On en a déjà un, mais si tu nous en débarrasses, c'est moi qui t'emmène au casino.

— Il s'appelle comment ?

— Je l'appelle Sancho. T'auras pas de mal à le reconnaître, c'est le plus laid.

Dehors, la grille du portail a grincé. La cour de l'usine se remplissait d'ouvriers, de Mauléonaises en chignon et d'hirondelles aux yeux sombres.

— Alors comme ça t'habites aussi à Mauléon ? j'ai demandé.

Il a acquiescé. Certes la bourgade drainait beaucoup de monde, mais je m'étonnais de ne l'avoir jamais croisé.

— Je ne t'ai jamais vu à la messe.

— C'est mon frère qui s'y rend, il a rétorqué.

— Et pourquoi pas toi ?

— On n'a qu'un seul costume. Il le porte pour aller à l'église, moi pour aller au casino.

J'ai laissé échapper un sourire. Henri manquait d'argent mais pas d'audace. Tout en parlant, il détaillait les dessins qui traînaient sur la table. Je travaillais sur une paire d'espadrilles beiges, ornées d'un large nœud plat en gros-grain. Un modèle chic et raffiné. Mon coup de crayon s'était affûté. Il a hoché la tête, impressionné.

— C'est du beau travail ! Vous comptez les vendre ?

— Pas encore. Un jour, j'espère.

Une cloche a sonné. Un brouhaha est monté de l'atelier. La journée des couseuses commençait. On m'attendait, j'ai rangé mes affaires. Henri m'a escortée en bas des escaliers. Sur le mur, un portrait de Guerrero, la main dans le gilet, solennel et fier.

Il l'a détaillé longuement en hochant la tête.

— La fortune sourit aux audacieux.

Le bateau coulé. Le jute intact. L'histoire de Guerrero était connue de tous et en faisait rêver plus d'un.

— Avec un peu de chance au casino, tu pourras bientôt t'acheter une usine ! j'ai raillé.

— Pas une. Plusieurs !

Aucune ironie dans cette affirmation. Henri avait de grands projets pour lui-même. Et ça me plaisait. J'ai repensé à ce que m'avait dit Guerrero la première fois : « Si tu étais la patronne de cette usine, que ferais-tu ? » Après tout, les rêves ne coûtaient pas grand-chose.

Un groupe d'hirondelles est entré, longues tresses noires à rubans, foulards à franges. L'une d'elles, enjôleuse, a glissé un regard plein de sous-entendus à Henri. Les autres se sont mises à glousser.

— Plusieurs usines ou plusieurs femmes ? j'ai demandé, amusée.

Il a planté ses yeux dans les miens et a souri. D'un de ces sourires qu'on ne croise que deux ou trois fois dans sa vie. Un sourire qui semblait me connaître mieux que quiconque. Un sourire qui croyait en moi comme personne auparavant.

Il a pris ma main, embrassé ma paume, avant de me faire un clin d'œil.

Henri ne tarderait pas à devenir expert en demandes en mariage. Et toutes, absolument toutes, me seraient destinées.

36

Les deux années qui ont suivi comptent parmi les plus belles de ma vie.

Henri a été embauché à l'atelier pour gérer les stocks et les commandes. Nous sommes rapidement devenus inséparables. Lupin m'a appris à conduire et le week-end il me prêtait son automobile. Liz, si tu avais pu voir l'air ahuri des gens quand nous traversions le village, moi au volant avec ma tête de moineau sous mon canotier, l'immense Lupin à mes côtés, et Henri à l'arrière qui fumait comme si de rien n'était ! Les cheveux au vent, il déclamait des poésies de son cru tout en réfléchissant à la meilleure manière de devenir son propre patron.

Des lumières de Biarritz aux ruelles de Saint-Jean-de-Luz, de Bayonne la gourmande au majestueux château d'Hendaye, nous avons parcouru le Pays basque en long, en large et en travers. Ces escapades n'étaient qu'un prétexte à de longues conversations. Nous étions intarissables. Henri s'intéressait à tout, moi j'adorais débattre. Nos silences étaient rares mais ils étaient confortables. Ensemble, nous n'avions besoin de rien.

Henri aimait la bonne chère, avec une faiblesse particulière pour l'ossau-iraty. Il raffolait de ces restaurants minuscules qui ne payaient pas de mine mais où l'on mangeait comme des rois. Parfois, nous nous arrêtions chez un jeune berger qui vivait là-haut dans les montagnes, au milieu de ses brebis. Henri connaissait tout le monde. Le Basque en béret nous conduisait au saloir. Henri caressait les fromages ronds et lourds. S'enquérait de la floraison de la réglisse, du trèfle, du serpolet ou du plantain, toutes ces herbes sauvages qui sont à l'origine de saveurs incomparables. Henri était aussi à l'aise dans les palaces biarrots que dans les cabanes rustiques. Du banquier au maître d'hôtel, du berger à l'ouvrier, tous l'appréciaient. Sa curiosité et son goût de l'autre abolissaient les frontières. Quant à moi, un crayon à la main, je les écoutais parler du cheptel, des estives, de la pluie et des ours. Et je dessinais ce décor de roches, de brouillard, de vallées et de pâturages.

Nous partions pour la journée, parfois pour le week-end. Aux fastes de la côte, nous préférions parfois le charme discret des villages. Ainhoa, Navarrenx, La Bastide-Clairence, Sare, Saint-Jean-Pied-de-Port, ces villages ont tous été le théâtre des demandes en mariage d'Henri. Il ne manquait jamais une occasion de me faire sa déclaration. Toujours plus sincère, toujours plus romanesque. Un coucher de soleil à Guéthary, une randonnée sur la Rhune, une promenade en voilier, et même une fois un tour en montgolfière.

La première fois qu'il a mis un genou à terre, je l'ai envoyé se faire voir. Voulait-il vraiment tout gâcher ? Nous n'étions que des amis ! Henri s'en désespérait. Sans jamais renoncer.

— Henri ! Je t'en prie ! me lamentais-je dès qu'il sortait de sa poche le petit anneau brillant.

C'était devenu un jeu entre nous. Une plaisanterie. Même si de nous deux j'étais la seule à plaisanter.

J'avais décidé de rester libre. Comme Mlle Thérèse ou Mlle Véra l'étaient à leur manière. J'étais heureuse, je me sentais bien. Colette avait beau m'expliquer que je passais à côté du meilleur, le souvenir de ma mère morte en couches, les cernes de Carmen et les coups que Robert frappait parfois la nuit à la porte me faisaient dire que je vivais mieux sans. Sans époux, sans amant. Pascual quant à lui n'était plus qu'un lointain souvenir.

Ma vie s'écrivait ici. Chez les Demoiselles. À l'atelier. Mon village, la voix d'Abuela, et même le visage d'Alma s'effaçaient doucement de ma mémoire. Ne me restait qu'une culpabilité douloureuse qui me saisissait parfois au ventre la nuit, quand le vent frappait les volets et que ma sœur revenait s'asseoir sur mon lit.

Henri était basque de cœur et d'origine. La Soule était sa patrie. Comme lui, j'aimais cette région sauvage, verte et brute. Terre de brebis, de forêts, de rivières. Un jour que nous étions en route pour la côte – et très probablement pour une nouvelle déclaration d'amour – Henri réfléchissait, comme toujours, à son avenir. À grand renfort de gestes, perdu dans la fumée de sa cigarette, le nez sur l'horizon, il se répandait en réflexions sonores. Il fallait être son propre chef, innover, prendre des risques ! Mais qu'inventer ? De quoi les Français auraient-ils besoin demain ?

Henri n'avait pas le début d'une idée. Pire encore, pas l'ombre d'une économie.

Devant nous se profilait le petit village d'Espelette, ses façades blanchies à la chaux, ses colombages rouge sombre.

— Que vas-tu faire de tes dessins ? m'a-t-il demandé soudain.

J'ai haussé les épaules. Depuis quelques jours, la santé du patron n'était pas au beau fixe. Son fils l'aidait mais mes dessins n'étaient clairement pas sa priorité. Les croquis s'entassaient dans ma pochette. Qui débordait.

Henri a bondi sur son siège, me faisant sursauter.

— Il faut qu'on monte notre propre atelier !

Ses yeux brillaient d'un nouvel éclat, comme à chaque fois qu'une idée « fabuleuse » lui traversait l'esprit.

— Henri ! Je t'en prie !

Cela me paraissait aussi incongru que d'imaginer Gédéon chanter juste, Mlle Véra aller à l'église ou Colette renoncer aux hommes.

Nous nous sommes arrêtés pour déjeuner. Bernadette nous avait préparé un de ces pique-niques dont elle avait le secret. Allongé sur une couverture, Henri n'abandonnait pas son idée.

— Voyons, Paloma ! Tes dessins, les talents de couturière de Colette, et moi pour t'aider avec les stocks et les commandes, ce sera un succès assuré !

J'ai haussé les épaules.

— Et qui nous les achètera, hein ? Tu crois qu'on nous attend ? Que les bergers veulent des plumes, des talons et des rubans ?

Je m'estimais déjà heureuse de mon statut privilégié de secrétaire en charge des nouvelles collections. Le patron m'avait à la bonne, ce n'était pas pour que je monte un atelier concurrent sous son nez.

Henri a pouffé.

— Secrétaire en charge des nouvelles collections ? C'est comme ça qu'on t'appelle ? Quelle bonne blague ! Un titre ronflant, c'est pas cher payé pour le temps que tu passes sur tes dessins, Paloma ! Promets-moi de travailler pour moi un jour, je te nommerai présidente des rubans de l'univers si ça peut suffire à ton bonheur !

J'étais vexée. Devant nous, deux enfants s'amusaient à faire rouler un pneu comme on joue au cerceau.

— Tu vaux mieux que ça, Paloma. Tes dessins sont formidables ! Tu as de l'idée, du courage, tu es travailleuse. Tu comptes coudre toute ta vie des espadrilles pour les autres ? En espérant qu'enfin un abruti de contremaître vende tes modèles et encaisse les bénéfices ? Quel gâchis !

Il a pris ma main, les yeux brillants.

— Ne suis pas la route qui t'est imposée, Paloma. Va là où il n'y a pas de chemin ! Et laisse une trace.

J'ai levé les yeux au ciel.

— Et toi ? j'ai rétorqué. Vas-y ! Laisse une trace ! Monte un atelier ! Ah, pardon, j'oubliais ! Monsieur n'a pas un rond ! Trop occupé qu'il est à tout dilapider au casino !

Henri m'a souri.

— Tu es encore plus belle quand tu t'énerves.

Il a glissé une main dans sa poche. Et voilà, on y était. Je m'attendais à voir resurgir l'anneau d'un instant à l'autre.

— Oh, je t'en prie, Henri ! Pas maintenant !

Il a levé un sourcil et tiré sa blague à tabac de son pantalon.

Silence.

Les deux enfants se sont mis à se chamailler. Le premier, petit et rondouillet, voulait le pneu pour lui seul. Son aîné, yeux clairs et oreilles décollées, réclamait qu'on le découpe. Les oreilles décollées ont gagné, provoquant les larmes du premier.

Les yeux rivés sur les massifs blancs des Pyrénées, Henri a dévoré le jambon cru que Bernadette avait préparé pour lui. Comme tout le monde, la cuisinière adorait Henri. Il la faisait rire et avait bon appétit, deux qualités essentielles à ses yeux. Chaque soir Bernadette et Colette attendaient avec impatience que je leur annonce enfin notre mariage. En vain. « Paloma ! se désolaient-elles en chœur au récit de ses demandes toujours plus merveilleuses. Un jour il rencontrera quelqu'un d'autre, et tu l'auras dans le nez ! »

Henri a englouti une part de gâteau basque. Les doigts pleins de beurre, il continuait sur sa lancée :

— Le problème de l'espadrille, Paloma, c'est qu'elle prend l'eau. La corde est trop fragile. Il lui faudrait un peu de… de…

Devant nous, l'enfant aux oreilles décollées avait entrepris de fabriquer des bateaux avec des bouts de pneu. Bateaux qu'il a bientôt transformés en patins, avant de les nouer autour de ses pieds avec des lacets.

Pour la deuxième fois de la journée, Henri a bondi. La bouche encore pleine de confiture de cerises, il a crié :

— Hé ! Gamin !

Sans égard pour son pantalon clair, il s'est assis dans la poussière à côté du petit. Et puis il s'est tourné vers moi.

— J'ai trouvé !

Henri venait d'inventer la semelle en caoutchouc.

Ça lui prendrait quelques années mais, avec l'aide d'un technicien, il mettrait au point un moule et une machine. Le latex vulcanisé enroberait la corde. Une nouvelle espadrille plus résistante verrait bientôt le jour.

Cette invention serait la première d'une longue série. Henri avait du flair et beaucoup d'imagination. Les années suivantes, il déposerait plus de soixante brevets dans des domaines aussi différents que les chaussettes en laine, les insecticides, les liqueurs apéritives ou encore la savonnerie. Dans le petit village d'Espelette, un entrepreneur était né.

37

Ce soir-là, j'étais restée plus tard pour finir une commande. Une douzaine de paires destinées à un groupe de danse basque qui préparait un spectacle. J'avais convaincu le patron de les leur offrir en échange d'un peu de publicité. J'avais dessiné pour l'occasion un modèle aux couleurs de notre drapeau et déniché de longs rubans rouges, verts et blancs. Les ouvrières étaient parties. L'atelier silencieux.

Le front plissé, concentrée sur ma couture, je n'ai pas entendu Sancho monter. Quand j'ai levé la tête, il était là devant moi, son ventre énorme, son front luisant. Un mauvais sourire aux lèvres.

— Alors, le plumeau ? Il paraît qu't'aimes les Français ?

Sa bouche était pâteuse, il sentait l'alcool. J'ai réfréné une moue de dégoût.

Il m'a scrutée des pieds à la tête, comme un boucher détaille un morceau de viande. J'avais vingt ans, des cannes de serin, des hanches étroites, une poitrine inexistante.

— À se demander ce que le Henri peut bien avoir à se mettre sous la dent, hein ?

Il a approché son visage du mien. J'ai senti le vent tourner. Restait-il quelqu'un à l'atelier ? M'entendrait-on crier ?

— Paloma... C'est comme ça qu'elle t'appelle, ta copine, pas vrai ? J'en ferais bien mon quatre-heures aussi de celle-là, m'est avis qu'elle est pas farouche...

Une colère sourde et familière.

— N'y pense même pas, elle est trop bien pour toi.

J'ai soutenu son regard, mâchoire serrée. Dans ses yeux, une lueur sombre. Je n'ai même pas eu le temps de me lever qu'il était sur moi. Ses ongles sales. Son haleine infâme. Il puait l'oignon et le vin. J'ai crié, il a couvert ma bouche de sa grosse main. A déchiré ma chemise.

— Tu crois que j'ai pas vu ton petit manège, hein ? T'es qu'une traînée, comme toutes les...

Don Quichotte a bondi sur le bureau, faisant sursauter Sancho. J'en ai profité pour le mordre. Aussi fort que possible. Il a poussé un cri de douleur avant de me décocher une gifle si puissante que je suis tombée, assommée.

— Sale petite garce !

Il m'a attrapée par le bras, allongée de force sur la table, et de sa main libre il a défait son ceinturon. Incapable de bouger, je hurlais de toutes mes forces.

Soudain, la porte qui s'ouvre, un bruit de chaise qu'on renverse, une ombre. Henri. Il s'est précipité sur lui. Direct du gauche. En plein dans la mâchoire. Sancho s'est affalé sur la table. Mes dessins, mes crayons, les espadrilles, les rubans, tout a volé dans un fracas de tous les diables.

Le contremaître s'est relevé. A essuyé le sang qui perlait sur sa lèvre. Puis il a souri, mauvais.

— T'aurais jamais dû faire ça.

Il a rugi et saisi Henri par le col avec la brutalité d'un ours. Mon ami était grand mais beaucoup moins trapu. Projeté par terre, roué de coups, Henri tentait comme il pouvait de se protéger le visage, incapable de parer la violence qui s'abattait sur lui. L'autre s'acharnait de plus belle, excité par le sang. Effarée, j'ai attrapé la lampe posée sur mon bureau et l'ai brisée sur son crâne. Un craquement. Le verre qui éclate. Sancho a levé la tête, surpris, avant de tomber raide sur le sol.

Un silence.

La masse de son corps sombre gisait dans un filet de sang.

38

Sancho n'était pas mort. Mais un éclat de verre lui avait crevé un œil. Après une semaine d'hôpital, il était de retour à l'atelier. Défiguré.

Henri et moi avons été convoqués par les gendarmes. Mais aucun de nous deux ne disait la même chose. Henri a prétendu qu'il avait frappé Sancho avec la lampe pour me défendre. J'ai refusé de corroborer sa version. J'en ai même rajouté. Disant que si l'occasion se présentait à nouveau, je ne le raterais pas. Sancho méritait la mort.

Mon témoignage a fait scandale. Par affection envers moi et moyennant beaucoup d'argent, Guerrero est parvenu à étouffer l'affaire et à convaincre Sancho de retirer sa plainte. La seule condition était que nous partions. J'ai été mise à la porte le jour même, sans avoir eu le temps de récupérer mes dessins. J'ai missionné Colette pour mettre la main sur ma pochette. En vain. Cinq ans de croquis et de créations envolés.

J'ai débarqué à l'atelier comme une furie. Monté quatre à quatre les étages qui menaient à mon ancien bureau. Trois ouvriers m'ont reconnue et se sont précipités à mes trousses. Ma table avait été débarrassée. Ma chaise, mes crayons, disparus. Je suis entrée en trombe dans le bureau de Guerrero. Personne. Les trois ouvriers se sont jetés sur moi. L'instant d'après ils me flanquaient dehors en me menaçant de m'amener chez les gendarmes si je remettais les pieds ici. Je me suis ruée sur le portail qu'ils ont fermé sous mon nez. Mes hurlements ont envahi la rue. Je me suis répandue en insultes. Jetée comme une malpropre, la figure pleine de poussière, je vomissais ma rage sur le trottoir.

— Je n'ai pas besoin de vous ! j'ai hurlé. J'y arriverai sans vous ! Et malgré vous !

Les larmes ruisselaient sur mon visage. J'ai craché aux pieds des ouvriers qui se tenaient derrière le portail.

— Bande de chiens ! Prenez mes idées ! J'en aurai d'autres !

Les visages des couseuses sont apparus à la fenêtre de l'atelier. Les hirondelles. Carmen. À ses côtés, Sancho souriait.

Moins d'un mois plus tard, Guerrero décédait. Son fils a chargé Sancho de reprendre les rênes. Le borgne exultait.

J'ai passé les semaines suivantes à me lamenter sur mon sort. Je traînais mon dégoût entre le salon et le jardin des Demoiselles, geignant dans les bras de Lupin, sur l'épaule de Colette, dans le giron de Mlle Thérèse. Tous essayaient de me réconforter. Je trouverais une place ailleurs. Je me remettrais à dessiner. La vie allait continuer. Mais le sentiment d'injustice m'anéantissait. Ni les câlins de Don Quichotte ni les chansons grivoises de Gédéon ne parvenaient à me tirer de mon abattement.

Mlle Véra, elle, m'écoutait sans rien dire. Après une tentative ratée pour écrire ses mémoires, elle s'était mise à la peinture. Coiffée d'un large chapeau de paille, vêtue d'un caftan de soie qui mettait en valeur ses yeux clairs, elle s'installait dans le parc avec un chevalet, toujours au même endroit. Elle peignait les montagnes, la rivière, les arbres et les hameaux. Les dégradés de vert qui roulaient depuis les sommets jusqu'à notre vallée. Les vaches, les routes, les clochers. Et à vrai dire, Liz, elle s'en sortait plutôt bien. Je m'asseyais parfois à côté d'elle pour passer le temps. Le bruit du pinceau sur la toile, couplé au ronronnement de Don Quichotte, m'apaisait.

Un jour qu'elle peignait pour la centième fois les Pyrénées enneigées, j'ai osé l'interroger :

— Pourquoi vous n'êtes pas retournée à Paris ?

Un silence. Le vent dans les arbres. Le pépiement des oiseaux. Le pinceau qui tourne dans la gouache colorée.

— Colette allait mal, m'a répondu Mlle Véra sans quitter la toile des yeux.

Je connaissais l'histoire. Mais quelque chose me gênait. Comment la femme la plus désirée de Paris avait-elle pu accepter de s'exiler au fin fond du Pays basque ? Malgré tout ce temps passé à ses côtés, je n'étais jamais parvenue à me l'expliquer.

Je réfléchissais à la meilleure manière de formuler ma question. Je connaissais suffisamment la marquise pour ne pas avoir envie de la contrarier.

— Mais une fois que Colette allait mieux, vous auriez pu rentrer… Je veux dire, j'imagine que la vie parisienne devait vous manquer et…

La reine a posé ses pinceaux. Essuyé ses doigts dans un torchon taché. Et lentement elle s'est tournée vers moi.

— Tu poses beaucoup de questions, Paloma.

Nouveau silence. Ses yeux clairs, presque jaunes. Son visage indéchiffrable. Je n'osais pas répondre. Surtout ne pas la froisser.

Elle a soupiré, s'est adossée à sa chaise.

— Personne n'est éternel, Paloma. Pas même les icônes. Ni les reines.

Mon cœur s'est serré.

À cinquante ans passés, Mlle Véra était encore magnifique. Ses traits fins n'accusaient que quelques rides discrètes. Son port altier, sa taille fine et sa bouche charnue restaient tels qu'ils avaient été.

— La véritable élégance, c'est de partir avant d'être remercié. Et crois-moi, si Paris sait récompenser ceux qui la divertissent, elle sait aussi se montrer impitoyable envers ceux dont elle se lasse.

Pour la première fois, je comprenais l'éphémère, le vertige du temps qui passe. Mlle Véra avait anticipé sa chute. Le désaveu de ses amants. Leur goût pour la nouveauté et la jeunesse. Elle avait préféré disparaître avant de voir leur désir décroître dans leurs yeux. La vie mondaine n'avait qu'un temps. Alors la reine avait mis les voiles pour le Pays basque. Elle y fanerait à l'abri des regards indiscrets. Écrirait ses mémoires. Profiterait de ceux qui avaient partagé sa vie la plus intime. Lupin. Colette. Et ferait de son mieux pour remettre la jeunette sur pied.

C'est en tout cas ce que je m'imaginais. Sibylline, Mlle Véra ne révélait de son passé que ce qu'elle voulait bien en dire. Je la soupçonnais même d'inventer certaines histoires. Ses récits étaient parfois plus grands que la vie elle-même. Fallait-il la croire ? Colette m'assurait pourtant que tout ce qu'elle disait était vrai. Le Paris de la Belle Époque était celui de toutes les extravagances.

Le soleil est descendu, il a commencé à faire froid. Voilà bientôt deux heures que j'étais postée à côté d'elle. Silencieuse.

Au bout d'un moment, Mlle Véra a posé ses pinceaux.

— Rosa, ça me fait mal de l'admettre mais je crois que Thérèse a raison.

Elle a soupiré. Cette phrase lui coûtait.

— Il est temps que tu te remettes au travail.

39

J'ai réfléchi toute la nuit.

La vie passait vite. Avais-je envie de gâcher la mienne à me lamenter sur mon sort ? Henri avait fait naître une idée. Mlle Véra m'avait donné des ailes. Tout ça m'excitait et me terrifiait en même temps.

Le lendemain, le soleil n'était pas encore levé que je suis descendue à la cuisine coiffée et maquillée. La maison dormait encore. Bernadette a souri en me voyant.

— Alors ça y est ?

Elle a déposé un bol de chocolat chaud devant moi. Bernie lisait en moi comme dans un livre ouvert.

— T'as bien raison, Paloma ! La chance, c'est comme le facteur. Si tu veux le voir passer, faut s'envoyer du courrier.

J'ai balayé sa remarque d'un geste de la main. Rien n'était fait. Je ne voulais pas en parler. Bernadette m'a observée un long moment, puis d'une voix plus basse a ajouté :

— J'suis fière de toi. De celle que tu es. Et de celle que tu vas devenir.

J'ai récupéré toutes mes économies sous mon matelas. Et me suis présentée à la banque coiffée de mon plus beau canotier à cerises.

— Je voudrais ouvrir un compte.

Le banquier a écarquillé les yeux. Avant de se mettre à rire.

Est-ce que je pensais qu'en me pointant en pantalon j'avais une chance qu'on me prenne pour un homme ? Les guichetiers n'en finissaient plus de se taper les cuisses. C'étaient les années trente, Liz. Une femme chef d'entreprise ? Aussi vraisemblable qu'un chameau jouant de la guitare. Demander un crédit ? Un pingouin dansant le swing dans les dunes.

J'ai tourné la chose dans tous les sens. Il n'y avait qu'une seule solution : demander de l'argent à Mlle Véra. Ce qui à mes yeux était tout simplement inenvisageable. Les Demoiselles avaient déjà fait beaucoup pour moi. Je voulais y arriver seule.

— Demander de l'aide ne fait pas de toi quelqu'un de faible, Paloma, m'a lancé Lupin un matin que je ruminais sur mon avenir. Seulement quelqu'un qui veut devenir plus fort.

Il méditait chaque jour au bord de la rivière, assis sur un banc, le dos droit, sa poitrine musclée se soulevant et s'abaissant lentement au rythme de sa respiration. Quand j'étais inquiète, mes pas me ramenaient toujours vers lui. Je m'agitais autour de lui comme une abeille en quête de pollen.

— Arrête de remuer comme ça. Les réponses aux questions que tu te poses sont juste là.

Je me suis assise près de lui, épaules basses, paumes en l'air, comme il me l'avait enseigné. J'ai pris une profonde inspiration. Soufflé bruyamment. Et puis mon esprit est reparti dans ses divagations. Mlle Véra accepterait-elle de m'aider ? Arriverais-je à la rembourser ? Trouverais-je des clients pour mes espadrilles ? Je savais dessiner, j'avais des idées, mais aucun talent pour la gestion des affaires. Ce projet était complètement insensé !

— Paloma…

La voix grave de Lupin. Le calme de la campagne basque.

— J'ai confiance en toi. Et Mlle Véra aussi.

Il la connaissait mieux que personne.

J'ai laissé passer un silence. Les questions sont revenues tambouriner dans ma tête. Alors j'ai demandé :

— Depuis quand vous vous connaissez, Mlle Véra et toi ?

Il a soupiré, ouvert les yeux. Sa séance de méditation du jour venait de tomber à l'eau.

— Longtemps.

La question me brûlait les lèvres. Je n'ai pas résisté.

— Tu travaillais vraiment dans un cirque ?

Lupin a hésité. S'est levé, déployant au-dessus de moi son immense silhouette. Il a épousseté son pantalon, tiré sur son veston. Et m'a proposé son bras.

— On peut dire ça, oui.

J'ai frissonné, impatiente de connaître la suite. Les histoires renvoyant au Paris du début du siècle me fascinaient.

— C'était une drôle d'époque, Paloma… Une drôle d'époque.

Il marchait d'un pas lent et parlait les yeux rivés sur l'horizon. La rosée perlait sur nos souliers tandis que nous traversions le parc. Le gargouillement de la rivière étouffait sa voix.

— J'ai rencontré Mlle Véra aux Folies Bergère. Le public adorait la marquise, mais réclamait toujours plus de nouveauté. Alors le patron des Folies rivalisait d'ingéniosité pour attirer les clients. Rien n'était assez fou, assez grand, assez insolite. Kangourou boxeur, homme-canon, chien acrobate, éléphants musiciens, dresseuse de serpents, femme à barbe, nains jongleurs, et un hercule sombre qui soulevait un cheval à bout de bras.

— C'était toi ?

— C'était moi.

Dans sa peau de léopard, Lupin avait presque autant de succès que Mlle Véra avec ses déshabillés de soie, ses parures de bijoux et sa silhouette affolante. Mais contrairement à elle, il vivait dans des conditions terribles. Le patron qui régnait sur Lupin et les autres gardait pour lui la quasi-totalité des recettes. Un soir que la troupe s'apprêtait à poursuivre sa tournée dans d'autres capitales, Mlle Véra lui avait proposé un marché. Une nuit avec elle et il effaçait la dette de Lupin.

La marquise avait-elle eu un coup de cœur pour le géant d'ébène ? Je ne pense pas. Pour la première fois, un homme ne la regardait pas comme une cocotte ou un trophée, mais comme une femme courageuse, libre et généreuse. Mlle Véra était née de nouveau sous son regard. Et ce cadeau-là valait tous les sacrifices. Y compris de passer la nuit avec cet homme méprisable.

Le patron, tout-puissant qu'il était, avait ouvert de grands yeux émerveillés. C'est comme si tout à coup on lui tendait un billet de loterie gagnant. Des artistes, il y en avait plein. La marquise de la Vigne était unique. À l'époque, une nuit avec elle était hors de portée du commun des mortels. Seuls quelques rares nantis pouvaient prétendre à sa compagnie.

Évidemment, il n'avait pas hésité une seconde.

Le lendemain Lupin s'était présenté chez Mlle Véra. Sur son épaule, un cacatoès bavard. Grand seigneur, le patron s'était montré généreux. Il tenait à ce que la marquise se souvienne de lui. Car de toute évidence lui se souviendrait d'elle.

Elle avait accueilli Lupin dans son hôtel particulier. Mais que venait-il faire ici ? Elle voulait bien du perroquet, lui en revanche était libre. « Je sais, avait répondu Lupin. Mais bientôt c'est vous qui aurez besoin de mon aide. »

Véra n'avait pas relevé. Après tout, s'il voulait rester il était le bienvenu. Lupin ne lui était pas lié à vie – Mlle Véra tenait à la liberté des autres autant qu'à la sienne –, mais s'il avait besoin d'argent, elle trouverait à l'occuper. Lupin avait accepté. Il avait déjà compris que leurs destins étaient liés.

Chez le tailleur le plus chic, elle lui avait fait faire sept costumes. Lui avait enseigné le métier de majordome tel qu'elle se le figurait. Et il était rapidement devenu son plus fidèle ami. Lupin et Gédéon avaient été bientôt de toutes les soirées mondaines. Ne faisant qu'ajouter au mystère qui flottait autour de la marquise.

— Tu n'as jamais eu envie de partir ? j'ai demandé. De faire ta vie de ton côté, de te marier ?

— L'occasion ne s'est pas présentée. Et l'essentiel, Paloma, n'est pas de vivre, mais de bien vivre. Je considère Mlle Véra comme ma plus proche amie. Elle me respecte, et je la respecte.

Lupin avait sans doute traversé des moments difficiles. Il se dégageait de lui une sérénité qui donnait encore plus de poids à ses propos.

— Mlle Véra choisit son entourage avec soin, a-t-il poursuivi. Si tu n'as pas confiance en toi, aie au moins confiance en elle.

Le lendemain, j'ai attendu que la marquise s'installe devant sa toile pour lui parler. Je n'ai pas eu le temps de terminer le discours que j'avais préparé qu'elle avait accepté. Elle ne doutait pas que je la rembourserais. Moi si, mais je tâchais de ne pas le montrer.

Grâce à elle, j'avais désormais de quoi payer un atelier, des machines, des bobines de jute et des rouleaux de tissu. Henri a poussé un cri de joie, Colette a démissionné de l'usine Guerrero. À nous trois, nous étions résolus à conquérir le monde.

Nous avons choisi une bâtisse de plain-pied un peu à l'écart de la ville. Une longue pièce rectangulaire ni trop vaste ni trop étroite. Au fond, les machines à tresser la corde, les rouleaux multicolores, les bobines de fil, les cartons de rubans. À droite, un large plan de travail pour découper les laizes. Au centre, une longue table en bois, des chaises et cinq machines à coudre.

L'atelier était calme et lumineux. Dans un coin, sous la verrière, j'ai installé un bureau et un lit, dissimulés derrière un paravent. J'avais toujours ma chambre chez les Demoiselles et n'aurais raté nos dîners pour rien au monde, mais j'aimais travailler la nuit, dans l'intimité du hangar. Don Quichotte jouait avec les tresses, faisait ses griffes sur les semelles et disséminait des rubans aux quatre coins de la pièce tandis que je dessinais dans la pénombre, plus créative et déterminée que jamais.

Nous avons inauguré l'atelier en grande pompe. En compagnie de Lupin, l'institutrice, Marcel et Bernadette. Les bouchons de champagne ont sauté. Sur la grande table, au milieu des machines, Bernadette a servi un dîner digne d'un prince. Au dessert, Lupin m'a tendu un grand carton entouré d'un ruban. L'image de ce géant aux yeux brillants d'émotion m'émeut encore aujourd'hui.

— En attendant que tu aies les moyens de t'offrir une fanfare ! a-t-il dit.

À l'intérieur, un gramophone rutilant. Et des dizaines de disques de charleston.

— À mon tour ! À mon tour ! s'est enthousiasmée la marquise.

Elle avait réclamé qu'on lui abandonne l'atelier pour trois jours. Seul Lupin était dans la confidence. Gédéon s'est mis à chanter *La Marseillaise*, et avec emphase et l'élégance qui la caractérisait, Mlle Véra a tiré sur le grand drap blanc qui recouvrait un des murs.

Une large fresque colorée courait sur toute la largeur de la pièce. Sur un fond bleu cobalt, des silhouettes d'oiseaux noir et blanc s'envolaient. Autour, des étoiles et la lune.

L'atelier des Hirondelles était né.

40

Les débuts ont été difficiles. Personne ne nous attendait.

Les grosses usines comme celle de Guerrero avaient des clients fidèles et établis de longue date. Les plus gros acheteurs d'espadrilles de l'époque étaient les ouvriers des mines du Nord et les bergers d'Amérique. Les circuits étaient verrouillés. Tenus par de vieux Basques rodés aux affaires.

Au bout de trois mois, l'atelier tournait toujours à vide. Aucune commande à l'horizon. Les clients recherchaient des espadrilles simples et solides, dépourvues de talons, de rubans et de fanfreluches. Mes modèles n'intéressaient personne. Le découragement pointait son nez. Un matin, je suis arrivée à l'atelier au volant de l'automobile de Lupin. Si les clients ne venaient pas à nous, nous irions à eux. L'Amérique du Sud était trop loin mais le Nord, lui, n'était qu'à deux jours de voyage.

Nos valises remplies d'espadrilles sous le bras, Colette, Henri et moi avons pris la route. Roulé jusqu'à ces terres de charbon, si différentes des nôtres. Pendant trois semaines, nous avons visité les mines. Parcouru les corons. Rencontré les clients. Écouté leurs demandes. Raconté notre histoire. Rogné sur nos marges. Notre trio ne passait pas inaperçu. Henri avec son béret et son costume, moi avec ma silhouette androgyne et ma tête de moineau. Et puis Colette et ses robes audacieuses, Colette et son air mutin, son rire cristallin qui emportait tout sur son passage.

Les mineurs usaient une paire par semaine. Sous la terre, la chaleur était étouffante. Les hommes ne supportaient que l'espadrille, légère et confortable. Il fallait des modèles simples, uniformes et faciles à stocker. J'ai dessiné une sandale plus solide, avec un bout renforcé et une tresse plus épaisse. Un patron s'est laissé convaincre. A-t-il été charmé par mes croquis, l'enthousiasme d'Henri ou le sourire de Colette ? Personne ne le sait. Toujours est-il que nous tenions notre première commande.

À notre retour, nous nous sommes mis au travail. J'avais convaincu deux filles de chez Guerrero de nous aider à coudre, des hirondelles à la recherche d'un revenu supplémentaire pour agrandir leur trousseau. J'avais aussi enrôlé Jeannette, dont les parents accueillaient chaque année des Espagnoles. La petite fille était devenue une belle adolescente qui ne rechignait pas à faire un peu de bouts et de talons pour s'offrir quelques chapeaux.

Ensemble, nous avons développé cette nouvelle espadrille. Mes modèles raffinés attendraient. Nous étions loin des volumes produits par nos concurrents, mais au moins notre quotidien était joyeux, débarrassé de la menace de Sancho. Progressivement, notre carnet de commandes s'est enrichi de quelques clients.

L'atelier occupait tout mon temps, toutes mes pensées, toutes mes nuits. Mais je n'avais jamais été aussi épanouie. Henri et moi avions dû renoncer à nos virées hebdomadaires, mettant un frein à ses demandes en mariage intempestives. Ce qui n'était pas pour me déplaire. J'étais entourée de mes deux meilleurs amis. Loin de nous séparer, nos disputes nous rapprochaient. Le charleston et nos éclats de rire ensoleillaient nos journées à rallonge. Même si nous ne vendions que des modèles sans originalité, je continuais de dessiner. L'avenir était prometteur, mon imagination sans limite. Un jour, ça marcherait. En attendant, ces moments passés seule dans l'intimité de l'atelier me remplissaient de bonheur.

Du côté des Demoiselles, la vie continuait, entre le quotidien de l'école, les soirées animées, et les virées de Mlle Véra et Lupin sur la côte. La marquise s'était acheté un pied-à-terre à Biarritz. L'aménagement et la décoration de cette villa perchée sur les hauteurs lui prenaient tout son temps. Colette et moi regrettions de ne pas pouvoir en profiter davantage et de n'avoir plus de temps à consacrer à Bernadette. Nos soirées de confidences n'étaient plus qu'un joyeux souvenir. La cuisinière ne semblait pas malheureuse. Aurais-je été plus attentive que j'aurais pu remarquer que ses yeux brillaient d'un nouvel éclat. Mais j'avais l'esprit ailleurs. Je me faisais l'effet d'un funambule, jonglant avec les commandes, les urgences, la trésorerie. Certes j'étais accaparée par l'atelier, mais pour la première fois je touchais du doigt la vie dont je rêvais. Un équilibre studieux et enthousiaste. Mais fragile.

Un soir, nous avons fêté l'anniversaire de Colette. Sans roulette, sans palace, sans virée en automobile. Pas le temps, pas l'argent. À la place, un dîner pantagruélique arrosé de vins rares dénichés par Lupin. Dans le salon des Demoiselles, nous avons dansé, chanté et ri des frasques de Gédéon. Comme au bon vieux temps. Et puis minuit a sonné. Marcel, Lupin et Henri ont pris congé.

Mlle Véra a allumé une cigarette. Il était trop tôt pour aller dormir, nous a-t-elle dit en mettant un disque. Colette s'est lancée dans le récit de sa dernière aventure amoureuse. Comment trouvait-elle le temps de courir le guilledou avec tout le travail qu'elle abattait ? Cela me dépassait. Cette fille était aussi belle que magicienne, elle semblait glisser dans la vie avec l'aisance d'un cygne sur l'eau. Habitée par un feu qui ne faiblissait jamais. Elle nous a détaillé par le menu les atouts et les faiblesses de son nouvel amant. Nous n'en finissions pas de rire, égayées par ses descriptions fleuries autant que par le visage outré de Mlle Thérèse.

— Et toi, Paloma ? m'a lancé Mlle Véra entre deux éclats de rire. Tu n'aurais pas envie de croquer un homme plutôt que des espadrilles ?

Hochements de tête du groupe.

— Navrée de vous décevoir, mais j'ai d'autres chats à fouetter !

Ricanement de Bernadette. Miaulement de Don Quichotte. Gédéon s'est mis à chanter :

— *Dans un restaurant un matin, j'fis connaissance d'un p'tit trottin…*

Colette a secoué la tête, navrée. Comment était-il possible qu'à vingt ans passés je n'aie pas encore connu d'homme ? C'était invraisemblable ! Ellc était effondrée à chaque fois qu'on en parlait. Je connaissais mieux que quiconque l'infinie variété des attributs masculins, le nom des positions les plus excentriques, tout ça sans jamais être passée à la pratique.

— C'est quand même inconcevable d'accomplir d'aussi grandes choses sans avoir jamais été caressée par un homme ! s'est étonnée Mlle Véra.

Bernadette gloussait. Est-ce qu'on ouvrirait une nouvelle bouteille de champagne ? Le vicomte continuait, perché sur le lustre à pampilles :

— *Elle m'avait plu je le confesse, parce qu'elle avait de très belles…*

— Gédéon !

Mlle Thérèse, gênée par la tournure que prenait notre conversation, est allée se préparer une tisane. Mais la marquise et Colette n'en avaient pas terminé avec moi.

— Je pourrais te présenter quelqu'un…, a suggéré Colette comme elle le faisait à chaque fois.

J'ai levé les yeux au ciel.

— Et Henri ? a renchéri Véra avec le plus grand sérieux. Ne peut-il pas faire quelque chose pour nous ?

Et tandis que je tentais comme je pouvais de changer de sujet, que Gédéon n'en finissait plus de chanter ses rengaines grivoises, et que Bernadette remplissait nos verres d'un blanc de blancs millésimé, un berger aux yeux verts et à la peau plus douce que du coton embarquait sur un navire à Buenos Aires.

41

Il était venu d'Argentine pour faire le plein d'espadrilles, de jambons et de vin. Un groupe de bergers basques l'avait désigné pour acheter en gros. Là-bas, les pâturages étaient immenses, les brebis se comptaient par milliers.

C'est Guerrero fils qui l'avait invité. Si le quotidien de l'usine ne l'amusait en rien, le nouveau patron aimait bien se montrer quand un client passait. L'occasion d'un déjeuner pantagruélique, et d'anecdotes savoureuses ponctuées de rires gras et sonores. On se tapait sur les cuisses en parlant de femmes et en buvant du vin avant de se promettre de faire des affaires ensemble. C'est ainsi que marchait le monde des grands hommes.

L'Argentin voulait discuter des prix. Les commandes avaient doublé en dix ans, les espadrilles remplissaient les cales des transatlantiques, et les bergers ne voulaient porter que des chaussures basques. Après le repas, Guerrero fils l'a conduit à l'usine. Le ventre en avant, une main sur son épaule, il a montré au jeune berger l'étendue de son empire. Les rivières de tissu, les charrettes de jute, et les centaines de couseuses perdues au milieu du roulis des machines.

Carmen avait pris la place de Sancho depuis qu'il avait été appelé à superviser l'usine. Entre deux accouchements, elle faisait régner sur son armée d'ouvrières une discipline de fer. Efficacité et productivité étaient ses mots d'ordre. À côté d'elle, Sancho passait pour un enfant de chœur.

Quand le patron les a présentés, Carmen l'a immédiatement reconnu. Il émergeait du brouillard de ses souvenirs, semblable à celui qui recouvrait les montagnes. Elle avait pris du poids. Son mariage avait durci ses traits et strié de blanc ses cheveux sombres. Allait-il la reconnaître ?

— Bonjour, Pascual.

Le merveilleux sourire du berger a illuminé le hangar et Carmen a rougi, gênée. Fut un temps où elle aurait pu le séduire. À présent, l'idée ne l'effleurait même plus.

Les jeunes filles ont levé la tête, surprises. Ainsi, la patronne savait parler sans aboyer ? Se montrer courtoise ? Apprécier la compagnie des hommes ?

Il l'a saluée avec chaleur, il n'avait pas oublié ce voyage à travers les Pyrénées. Il a demandé des nouvelles du village, du quotidien à Mauléon, des hirondelles.

Carmen s'est montrée très positive. Les nouvelles du village étaient bonnes, Luis s'était marié, Amelia attendait son quatrième enfant, Mauléon était une ville très agréable et accueillante, et les ateliers Guerrero reconnus pour offrir des conditions de travail merveilleuses aux Espagnoles. Son discours était parfait. Satisfait, le patron hochait la tête en lissant sa moustache.

— Et Rosa ? Comment va-t-elle ? a fini par demander Pascual.

Carmen a eu un drôle de rictus en se tournant vers Sancho. En entendant mon nom, le nouvel adjoint s'est passé une main sur son œil manquant.

— Elle a mal tourné, a répondu Carmen d'une voix sourde. Elle fréquente des femmes qui ne sont pas fréquentables et je crois bien qu'elle est devenue comme elles.

Pascual a froncé les sourcils. Tiré sur la veste de son costume. Guerrero fils s'est raclé la gorge et Sancho est intervenu. La visite était terminée. On irait à l'étage discuter entre hommes.

Chaque jour, Henri prenait son café face au fronton. Il s'enquérait des nouvelles du monde. Tendait l'oreille aux potins. Prenait le pouls de la ville. Le chef de gare, le serveur du troquet et les joueurs de pelote l'avaient à la bonne. C'est ainsi qu'il avait eu vent de l'arrivée d'un acheteur des Amériques envoyé par les bergers basques pour rencontrer Guerrero fils.

Ni une ni deux, il a saisi son chapeau et, vêtu de son unique costume, celui-là même qu'il portait le soir où nous nous étions rencontrés, il s'est présenté à la sortie de l'usine. Il a attendu longtemps. Il n'était pas pressé. Le poisson était suffisamment gros pour qu'on ne prenne pas le risque de le laisser filer.

Henri était hâbleur. Quel hasard de se croiser chez Guerrero ! Comment ça, Pascual n'avait pas entendu parler de l'atelier des Hirondelles ? Un Espagnol ne pouvait pas acheter français ! Il connaissait une fille de son pays qui cousait mieux que n'importe qui. Accepterait-il de trinquer avec eux ?

— Comment s'appelle-t-elle ? a demandé Pascual qui trouvait cet Henri décidément très sympathique.

— Rosa. Rosa de Fago, a répondu Henri au moment où ils passaient la porte de l'atelier.

J'étais en train de mettre le point final à une importante commande pour les corons du Nord. J'ai levé la tête. Regretté dans l'instant de ne pas m'être apprêtée. Seigneur, que cet homme était beau ! Il avait gagné en muscles et en barbe. Mais ses yeux d'opale, sa peau mate, sa bouche gourmande me faisaient encore plus d'effet que dans mon souvenir. Le rouge m'est monté aux joues, je suis restée bête, incapable de bouger.

Pascual s'est précipité pour me serrer dans ses bras. Son béret faisait ressortir ses yeux. Il sentait bon la terre et le musc. J'ai immédiatement eu envie de me blottir au creux de son épaule. Nue.

— Rosa ! Ça alors ! il s'est exclamé.

Henri a souri. L'affaire s'annonçait bien. Il lui a fait faire le tour du propriétaire. Insistant sur la qualité de nos tissus, l'originalité de nos modèles, l'agilité de notre petite équipe. Tour qui s'achevait bien sûr par une revue de mes dessins. Pascual a regardé mes croquis un à un. Détaillant chaque coup de crayon. Tournant les pages lentement. Liz, à cet instant, je n'avais jamais rien vu d'aussi sensuel que ces mains caressant mon cahier. J'étais hébétée.

— Tu as beaucoup de talent…

Je me doutais que les bergers n'avaient pas besoin de talons, de plumes et de paillettes. J'allais préciser que nous fournissions auux mines du Nord des espadrilles simples mais d'excellente qualité quand il a ajouté :

— Les Argentines adorent la mode. J'ai une amie à Buenos Aires qui danse le tango, je suis sûr que ça lui plairait.

Une amie ? Mon esprit s'est figé. À quoi ressemblait-elle ? Ces mains qui m'obsédaient avaient-elles couru sur son corps ?

— Elle commence à se faire un nom et aime beaucoup les costumes colorés.

Henri et moi restions silencieux. Nous avions appris lors de notre voyage dans les corons qu'un client qui parle est toujours plus intéressant qu'un client muet. L'écoute est la première des qualités. Et pas seulement en amour.

— Peut-être que je pourrais lui en rapporter une paire ou deux ? il a suggéré. Elle vous aiderait peut-être à vous faire connaître.

Pascual n'était pas seulement beau comme un dieu, il était aussi généreux et bienveillant. Un sourire niais flottait sur mon visage. J'étais incapable d'aligner deux phrases sensées. Voyant que je tardais à réagir, Henri s'est exclamé :

— Quelle brillante idée ! Nous allons te préparer quelques modèles dans différentes tailles. Qu'est-ce que t'en dis, Paloma ? Tes créations en Amérique !

J'ai acquiescé, ravie.

— À l'Argentine, aux brebis et au tango !

Je n'y croyais pas une seconde. Avait-on déjà vu des danseuses de tango glisser sur le sol en espadrilles ? Mais j'étais polie et soucieuse de préserver l'enthousiasme d'Henri autant que ce lien ténu qui se nouait avec Pascual.

— Et aux hirondelles qui ont pris leur envol ! s'est réjoui Henri.

Henri avait beaucoup de qualités, mais celle qui m'inspirait le plus de tendresse était la fierté qu'il tirait de travailler avec moi. Il ne ratait pas une occasion de rappeler que j'étais la première femme à la tête d'un atelier. Et que si on l'en croyait, je ne serais pas la dernière : les femmes s'apprêtaient à faire leur révolution. Je te l'ai dit, Liz, Henri a toujours été un homme en avance sur son temps.

Nous avons passé l'heure suivante à bavarder comme trois amis qui se connaissaient depuis toujours. Henri a débouché une bouteille. Tiré d'un tiroir un saucisson de pays. J'ai glissé un disque dans le gramophone. Une douce mélodie de jazz est montée dans l'atelier.

Dehors, il faisait nuit. Adossé à sa chaise en bras de chemise, Henri n'en finissait plus de questionner Pascual sur son nouveau pays. Sur la table, quelques bougies illuminaient la fresque de Mlle Véra d'une lueur chaude.

— Comment vous êtes-vous rencontrés ? a lancé Henri au bout d'un moment.

Gêné, Pascual a baissé les yeux. J'ai tressailli. Dans mon esprit, le sourire d'Alma a remplacé les mains du beau berger.

— Il était là quand ma sœur…, j'ai murmuré. Quand ma sœur est…

Ma phrase est morte dans un silence. L'aiguille a atteint le centre du disque. Le gramophone a grésillé.

— Je vois, a dit doucement Henri.

Pascual s'est raclé la gorge. A jeté un œil à sa montre.

— Je vais devoir vous laisser.

Henri a sauté sur ses pieds. Où séjournait-il ? Ils feraient un bout de chemin ensemble. Quant à moi, j'avais du travail à terminer.

— J'étais heureux de te voir, a dit Pascual en plantant ses yeux verts dans les miens.

Aucun souvenir de ce que j'ai répondu. J'étais perdue quelque part dans un pâturage argentin.

Il a glissé les boîtes à chaussures sous son bras, m'a saluée d'un signe de tête et la porte de l'atelier a claqué.

J'étais sonnée. Épuisée d'avoir dû réfréner les pulsions de ce corps que je ne reconnaissais plus. Résister à l'envie de me jeter sur sa bouche. Qu'est-ce qui m'arrivait ?

J'ai attrapé mes crayons, quelques feuilles de papier. Dessiner pour penser à autre chose. Se laver la tête de toutes ces idées aussi déplacées que les chansons de Gédéon. D'une main tremblante, j'ai esquissé la cambrure d'un pied. La courbe de sa nuque m'est apparue. Un ruban autour d'une cheville. Ses doigts sur mes poignets. J'ai déchiré la feuille en grognant.

Sur la table, les bougies faiblissaient doucement. Autour, mon cahier, les verres vides, les reliefs de notre dîner improvisé.

Et son béret.

42

On a toqué trois coups discrets.

Mon cœur s'est arrêté. Derrière la porte, son sourire, ses yeux. Ses mains.

— Je…

— Le voilà, je l'ai coupé en lui tendant ce qu'il était venu chercher.

Entre nous, une électricité palpable. *Que ferait Colette à ta place ?* hurlait une voix en moi. La réponse était évidente. Mais la vraie question était : fallait-il l'imiter ?

— T'as pas changé.

Un silence bouillant. Une seule allumette et l'atelier prenait feu.

— Toi, si, a-t-il répondu.

Puis en désignant du menton mes cheveux courts :

— Et ça te va bien.

Dehors, la fraîcheur de la nuit, le bruit des grillons, le chant des crapauds. Sa beauté me tétanisait. Ses yeux verts, sa mâchoire saillante, sa barbe naissante et son sourire – ah, ce sourire, Liz !

Bon sang, Rosa ! hurlait la voix dans ma tête. *Réponds quelque chose ! Invite-le à entrer ! C'était bien la peine d'endurer tous les récits de Colette, pour ce que tu en fais !*

Alors sans réfléchir ou presque, j'ai posé mes lèvres sur les siennes. Elles avaient un goût de vin d'ici et du grand air de là-bas. La douceur des alpages et la force des grands espaces. Je n'avais jamais goûté à quelque chose d'aussi délicieux. Il a pris mon visage entre ses mains. Caressé ma joue. Je n'étais plus qu'un grand cri de désir. Sa peau sur la mienne. Je brûlais.

Dans la pénombre de l'atelier, à l'abri du paravent qui encadrait mon lit, j'ai tenté de maîtriser l'émotion qui me submergeait. Mon esprit luttait pour se remémorer les conseils prodigués par Colette. Ce que je découvrais sous mes mains n'avait rien à voir avec les dessins du grenier. C'était un appel au plaisir. Un aller simple vers le ciel.

Une vague de chaleur m'a submergée. Ses mains, sa bouche, son odeur, le goût de sa peau, le rauque de son souffle, je chavirais. Au milieu des espadrilles, des tissus, des rubans, j'ai découvert dans un frisson tout ce que j'avais manqué jusqu'alors.

Et j'ai su que je ne pourrais plus jamais m'en passer.

43

Il dormait.

À la lueur faible des bougies, j'ai détaillé son visage. L'arrondi de ses lèvres. La délicatesse de ses traits. Écouté son souffle calme.

En moi, le vent était tombé. Je flottais, sereine et silencieuse, dans un nuage ouaté.

La lune était pleine. Lupin disait que chaque nouveau cycle appelait un renouveau. Il fallait formuler des vœux. Se débarrasser de sa mue pour embrasser de nouveaux horizons. Exprimer une intention. Qu'allais-je bien pouvoir demander à la lune ? Un seul projet me semblait acceptable à cet instant. Revivre encore et encore l'incandescence, l'ébouriffement des sens. Je n'avais plus aucune ambition sinon de mourir avec lui. Dans un lit.

Pascual dans cet atelier, qui l'aurait cru ? C'est drôle comme les plus grands moments d'une vie tiennent souvent dans un seul instant. J'avais le sentiment d'être à la croisée des chemins. L'atelier marchait bien. Pascual pourrait m'y rejoindre, quitter l'Amérique, devenir berger ici. Je pouvais aussi repartir avec lui, prendre le large, découvrir un nouveau continent. Voudrait-il de moi là-bas ? Quelqu'un l'y attendait-il déjà ? Une danseuse de tango en habits bariolés ou une héritière à cheval aussi blonde que les blés ? Impossible, nous étions faits l'un pour l'autre. Tout à coup, l'idée du mariage ne me semblait plus aussi absurde. Qui ne signerait pas pour l'éternité ? Je me retenais de le réveiller pour profiter encore de lui avant l'aube. Que penserait Mlle Véra si je quittais tout pour le suivre ? Colette m'en voudrait-elle de tout abandonner ? Je le connaissais à peine ! Oui, mais je l'aimais.

Le mot était lâché : j'étais *amoureuse* ! Après tout, les Demoiselles et moi avions peut-être moins en commun que je ne le pensais. Si elles avaient choisi de finir seules, je n'étais pas obligée de les imiter. J'écrirais ma propre histoire. Tracerais ma propre route. Aux côtés de Pascual, une nouvelle vie m'attendait.

J'ai soufflé les bougies. Me suis glissée sous les draps près de lui. Dans un demi-sommeil, il m'a embrassée.

J'étais loin d'imaginer que ce serait notre dernier baiser.

44

Le bruit d'une clef dans la serrure m'a réveillée.

J'ai fait un bond. Il ne s'agissait pas qu'on nous découvre ensemble ici !

— Pascual ! Habille-toi, il est…

Vide.

Le lit était vide.

— Rosa ? a crié une voix depuis l'entrée.

Don Quichotte a miaulé. Sur l'oreiller, un bout de papier arraché à mon cahier. Quelques mots griffonnés. On l'attendait sur la côte. Son bateau levait l'ancre le lendemain. Il avait été heureux de me revoir et me souhaitait bonne chance. Il concluait par ces mots terribles : « Prends soin de toi. »

— Rosa, t'es là ?

J'étais hébétée.

— J'ai eu une idée formidable, Paloma ! Écoute ça…

Prends soin de toi.

Rasé de frais, Henri a passé une tête derrière le paravent. Et s'est décomposé.

En un éclair, son regard a glissé sur les vêtements qui gisaient au sol. Les draps défaits. Mes épaules nues.

J'étais livide.

Pascual est parti.

— Qu'est-ce que..., a bafouillé Henri.

Il m'a semblé entendre son cœur rouler au sol et éclater en morceaux. Il gisait à côté du mien. Fendu. Éventré.

Prends soin de toi. Comme il aurait pu dire : *Oublie-moi* ou *Débrouille-toi sans moi.*

— Rosa, comment... tu as pu... comment c'est possible ?

La voix d'Henri n'était qu'un murmure. Elle me parvenait de loin. Comme dans un brouillard.

En lui se jouait un combat entre celui qui refusait d'y croire et celui qui devait se rendre à l'évidence. En moi, même scène. Même carnage. D'autres visages.

— Henri..., j'ai finalement lâché.

Il a secoué la tête, incrédule. Il n'était plus seulement question de lui ou de moi, mais de l'atelier. De tout ce que nous avions construit. De nos projets.

J'ai voulu expliquer, rassurer, empêcher. Mais tout ce que j'ai réussi à dire, c'est :

— Henri, il est parti.

Comme si ça pouvait tout effacer.

Henri a de nouveau secoué la tête. Épaules basses, il s'est détourné. J'ai sauté du lit, enfilé une chemise. Couru pour le rattraper.

— Henri, je suis désolée !

Sous mes pieds nus, le sol gelé. Sur le mur bleu cobalt, les hirondelles noir et blanc renvoyaient mon cri en écho.

— Henri ! j'ai hurlé. Je te préviens, ne passe pas cette porte sans m'avoir écoutée !

L'anéantissement avait laissé place à la colère. Qu'est-ce qui m'avait pris ? Comment avais-je pu me laisser aller à tant de pensées stupides ? Dans ma tête j'étais libre, dans celle de Pascual je n'étais qu'une fille facile ! Et maintenant dans les yeux d'Henri aussi !

Henri s'est arrêté. Il me tournait le dos. Les larmes me sont montées aux yeux. J'avais touché le ciel. Confondu amour et désir. L'atterrissage était terrible. Je me sentais honteuse. Humiliée. Incapable de trouver les mots pour réparer ce que j'avais cassé.

— Henri, j'ai supplié. L'atelier a besoin de nous. Ça ne change rien.

Il s'est retourné. Ses yeux brillaient.

— Je t'aime, Rosa. Et même si ça ne veut rien dire pour toi, pour moi ça change tout.

J'ai secoué la tête. J'étais prise au piège. De son amour. De mon désir. Prise au piège ! Pour une fois que j'étais libre ! Pour une fois que j'écoutais mes envies, tout m'explosait en pleine figure ! C'est pourtant bien lui qui m'avait encouragée à suivre mes rêves ! À n'avoir peur de personne !

— Je ne t'ai rien promis, Henri ! j'ai crié.

Une grosse larme a roulé sur ma joue. Je n'étais plus que rage. Pourquoi c'était à moi de m'excuser ? Je n'avais rien fait de mal ! Et ma souffrance, alors ? Qui allait me consoler ?

— Tu n'as pas encore compris que je n'appartiens à personne ? Henri, je ne t'appartiens pas et je ne t'appartiendrai jamais ! Comment faut-il te le dire pour que tu l'entendes ?

Une attaque brutale. Directe. Mes mots se sont plantés en lui comme des flèches empoisonnées. Saccagée notre amitié. Détruit le peu d'espoir qui l'habitait. Piétinés nos rêves. Évanoui notre avenir.

Henri a hoché la tête. Sonné. Il m'avait entendue. Me rendait ma liberté. Il a remis son chapeau et il est parti.

45

— Il reviendra. Laisse-lui du temps.

Colette n'était pas inquiète. Henri avait été déçu mais ça lui passerait. Le vrai sujet, c'était Pascual. À quoi ressemblait-il ? Était-il bon amant ? Colette se désespérait de l'avoir manqué et voulait tout savoir.

— L'amour, c'est comme le cheval, Paloma ! Quand on tombe, faut se remettre en selle.

En matière de déceptions amoureuses, Colette en connaissait un rayon. Et quelque chose me disait que malgré tous les hommes qu'elle avait connus depuis son arrivée au Pays basque, aucun n'avait effacé son chagrin d'amour parisien.

Mais elle avait raison. Tout du moins le croyais-je. Il fallait que je passe à autre chose. Après tout, comme le disait Mlle Véra, il y avait quand même de quoi se réjouir. J'avais enfin goûté au plaisir. Et de toute évidence, je n'étais pas prête à y renoncer.

Alors bien sûr, il fallait fêter ça.

La marquise avait fait la connaissance d'un couple lors d'une virée avec Lupin. L'automobile était tombée en panne à une quinzaine de kilomètres de Mauléon. Les mains pleines de cambouis, Marcel n'était pas parvenu à la faire redémarrer. Il pleuvait des cordes et Lupin s'était proposé pour aller chercher de l'aide. En chemin, il avait rencontré M. et Mme d'Arhampé.

Le couple, d'une cinquantaine d'années, s'était montré courtois et sympathique. Ils étaient riches, très riches. Descendants d'une famille de notables basques, et propriétaires d'une maison pittoresque perchée au flanc d'un coteau. Un hôtel particulier inattendu, perdu au milieu des paysages agricoles. Ils adoraient recevoir et organisaient des fêtes qui attiraient tous les Biarrots en quête de réjouissances. Princes du sang ou de la finance, grands artistes, simples mortels, tous abandonnaient volontiers les lumières de la côte pour le cœur de la Soule. Et se pressaient aux réceptions de M. d'Arhampé qui avait à cœur de leur faire découvrir l'âme du Pays basque.

Ce jour-là, les d'Arhampé avaient lancé des invitations pour un dîner. Une « petite sauterie sans prétention » à laquelle ils avaient convié quelques amis de passage dans la région. Colette avait entendu parler de leurs soirées mémorables et se réjouissait d'avance d'y participer.

Je ne l'avais jamais vue aussi rayonnante. À l'atelier, elle avait trouvé un sens à sa vie. Elle dirigeait les couseuses avec bienveillance. Toutes l'admiraient et s'émerveillaient de ses talents de couturière. Sa vie de cocotte était loin derrière elle. Colette s'assumait seule. Butinait d'un homme à l'autre quand l'occasion se présentait. Une femme affranchie telle qu'il y en avait peu.

Quant à Mlle Véra, je la soupçonnais d'entretenir une liaison avec un gentleman sur la côte. Elle riait davantage, ne s'agaçait plus des remarques de Mlle Thérèse. Et surtout, elle avait rangé sa machine à écrire et ses pinceaux. La marquise avait décidé de continuer à vivre.

Pour l'occasion, Colette avait dégoté chez la modiste de la grand-rue une longue robe moulante qui révélait tout de ses galbes les plus intimes. Un lamé scintillant coupé dans le biais qui enrobait son corps de métal liquide. Les longues manches dénudées laissaient entrevoir une partie de ses épaules. Je m'étais habituée à sa beauté, mais ce soir-là Colette était tout simplement époustouflante.

Inspirée par les films qui passaient parfois au cinéma de Mauléon, elle arborait des cheveux courts décolorés et une bouche rouge carmin. Une actrice américaine, avec ce je-ne-sais-quoi de mutin et de sensuel propre aux Françaises.

Mlle Véra avait fait venir de Paris une robe rose en tulle recouverte de perles en verre dorées. Une toge droite à fines bretelles et à basques plissée, soulignée d'une ceinture en sequins. On aurait dit une statue grecque.

Si nos dîners étaient fabuleux, ils n'étaient rien à côté des ressources que Véra et Colette s'apprêtaient à déployer pour impressionner les hôtes des d'Arhampé.

Cette soirée serait la plus exceptionnelle de toutes. La plus tragique aussi.

La fête battait déjà son plein quand notre joyeuse troupe est arrivée. Mlle Thérèse souriante, Bernadette rayonnante. À bien y réfléchir, voilà plusieurs semaines qu'elle était d'une bonne humeur à toute épreuve. Avait-elle rencontré quelqu'un ? Tout portait à le croire. Je comptais sur cette soirée pour en savoir davantage.

Une longue table avait été dressée sous les arbres. Chandeliers et verres en cristal scintillaient, illuminés par des guirlandes et fanions multicolores. Dans l'air montaient des parfums délicieux de viande et de poisson. Les d'Arhampé adoraient leur pays et tenaient à ce que leurs hôtes l'aiment aussi. Truites pêchées du jour, piperade à la saucisse et poules farcies arrosées de vins du cru régaleraient bientôt les invités. Il y avait des danseurs souletins en costumes traditionnels bleu et rouge, légers et joyeux. Un jeune berger était descendu des montagnes pour chanter la bienvenue aux invités. Son visage noble, son regard fier, sa voix profonde m'ont saisie dès mon arrivée. Dans mon esprit se superposaient au sien le visage de Pascual et, à ma surprise, celui d'Henri. Mais déjà Colette m'attrapait la main.

— Tu ne devineras jamais qui est là !

Ses yeux brillaient comme jamais.

En bas, près du château, un groupe d'invités jouait à la pelote. L'ambiance était joyeuse. Les balles volaient au milieu des éclats de rire et des cris de joie. Parmi eux, un homme, la quarantaine, costume croisé et canotier, une paire de derbys vernis aux pieds, s'est mis à chanter. Devant le fronton, le silence s'est fait. Il chantait en basque quoique avec un drôle d'accent, puis il a exécuté quelques pas de danse basque, rien d'exceptionnel en vérité, mais tout à coup le public s'est mis à l'acclamer. Colette était émerveillée.

Je ne comprenais pas ce qui pouvait susciter autant d'enthousiasme. Qui était cet homme que tout le monde semblait connaître ?

— C'est Charlot ! m'a soufflé Colette.

Charlot ?

De ses doigts fins, elle a mimé une moustache, un chapeau rond, et s'est mise à danser d'un pas de pingouin en faisant tourner sa canne imaginaire.

— Charlie Chaplin ?

Je ne pouvais pas y croire. Le clown que Colette et moi avions adoré dans *Le Kid* et *La Ruée vers l'or* n'avait rien à voir avec l'homme élégant aux cheveux poivre et sel qui dansait devant le fronton.

— Mais qu'est-ce qu'il fait *ici* ?

Au cœur de la Soule, au pied des Pyrénées, au milieu des vaches ? Ça me paraissait proprement invraisemblable. Colette a haussé les épaules.

— Les Churchill étaient là l'année dernière à ce qu'il paraît. Pourquoi pas lui ?

Elle a souri. L'acteur américain a levé la tête. Un silence. Tous les regards ont convergé vers Colette. Son sourire. Sa robe lamée. Ses épaules blanches. Ses cheveux blonds. Le temps semblait suspendu.

Il était de petite taille et svelte, mais dégageait une aura captivante, hypnotisante. C'était un très bel homme. Sans quitter Colette des yeux, il a fendu la foule, a saisi sa main et l'a embrassée doucement.

— *Charles Spencer Chaplin*, a-t-il lancé.

Avant d'ajouter dans un français teinté d'un accent adorable :

— Je suis très enchanté.

Il avait l'œil rieur et un charme fou. Autour, la petite foule muette était subjuguée. Nous n'étions plus à Tardets, au Pays basque, mais quelque part à Hollywood.

— *I was told the Basque country was a* merveille *and I do realize now what was meant.*

Colette a levé un sourcil, amusée.

— Monsieur Chaplin, vous êtes bien bavard pour un acteur muet.

Autour de nous, quelques éclats de rire. Chaplin a eu une moue navrée, puis son visage s'est éclairé, soudain transformé. Il venait d'avoir une idée. Un film entier se jouait dans la seule expression de ses yeux, de sa bouche, et dans le mouvement de ses sourcils. Il a noué une serviette invisible autour de son cou, s'est frotté le ventre, l'air réjoui, puis il a dessiné une chaise imaginaire qu'il a dépoussiérée. Et avec un air cérémonieux et affecté, il a invité Colette à s'y asseoir.

— *May I sit* à côté de vous *for the* dîner ? a-t-il lâché.

Murmures attendris dans le public. Seule Colette affichait un air détaché, le même qu'elle prenait jadis lors de nos virées en automobile. Elle a eu une petite moue d'hésitation ravissante, avant de prendre le bras de Chaplin.

— J'imagine qu'il faut que quelqu'un se dévoue pour vous apprendre le français ! a-t-elle lancé, bravache, au nez du clown conquis.

Soudain, une voix dans la foule :

— Oh, Seigneur ! Colette ! Ne me dis pas que c'est toi !

Une grande brune au visage chevalin s'est approchée. De sa robe noire s'échappait une traîne piquée d'une broche énorme en pierre de lune. À sa main, s'étirait un porte-cigarettes. Tout dans son physique donnait le sentiment d'être exagérément long, disproportionné, de son menton jusqu'à ses jambes, de ses doigts jusqu'à sa cigarettes. Colette s'est figée avant de lui sauter dans les bras.

— Émilienne !

Une longue embrassade. Tout à coup Chaplin n'existait plus. La grande tige s'est reculée pour mieux observer Colette.

— Mazette ! T'as rien perdu de ta splendeur ! C'est donc ici qu'tu te cachais ?

Elle avait une gouaille terrible, bien plus marquée que celle qui m'avait surprise la première fois que j'avais rencontré Colette.

— Je ne me cachais pas, je…

— Monsieur…, l'a coupée l'autre en saluant Chaplin avec un sourire charmeur.

Elle lui a tendu sa main d'un air affecté. À son majeur, une émeraude énorme. Courtois, Charlot l'a embrassée.

Puis une cloche a sonné. Les d'Arhampé faisaient servir le dîner. Émilienne a saisi le bras libre de Chaplin, et tous trois se sont mis en route vers la maison.

La nuit était tombée. Les centaines de torches qui éclairaient le jardin nous ont guidés jusqu'à la grande table dressée sous un ciel pur semé d'étoiles. Brusquement, des cors de chasse ont résonné dans la pénombre. Une mélodie puissante, étrange et sombre.

J'ai frissonné.

46

Le service a bientôt commencé. La tablée était immense, les convives nombreux. J'avais perdu de vue les Demoiselles, Lupin, Marcel et Bernadette.

À gauche de Chaplin, Émilienne décortiquait tant bien que mal un tourteau de ses doigts décorés. Elle parlait fort, volubile, excentrique, et ne tarissait pas d'anecdotes. Son babillage animé faisait la joie de ses voisins. De temps à autre, elle jetait un œil charmeur à Charlot, traduisant son récit dans un anglais approximatif saupoudré de sous-entendus grivois. Il y était question d'une petite chatte qu'elle avait adoptée et que tout le monde adorait caresser. Gédéon avait trouvé son maître.

Face à moi, Colette. Étrangement silencieuse. Elle riait parfois aux plaisanteries d'Émilienne, mais sans entrain. Quelque chose dans son expression avait changé. Comme une gêne diffuse que les attentions de son voisin ne parvenaient pas à dissiper.

Les plats se sont enchaînés, raffinés et gourmands. Le rythme de la musique s'est accéléré et, portés par le vin et le champagne qui coulaient à flots, les invités se sont mis à danser. Quand soudain d'Arhampé a frappé son verre de son couteau.

— *Ongi etorria !* Bienvenue à vous, mes amis !

Applaudissements chaleureux de la petite foule alentour.

— Le Pays basque a beaucoup à offrir sur ses côtes, mais encore plus en son cœur. En serez-vous dignes ?

Des voix se sont élevées : bien sûr ! Qu'est-ce qu'il croyait ?

Cinq hommes sont apparus. Musclés, mâchoires saillantes et yeux brillants sous leurs bérets. Dans leurs mains, une longue corde qu'ils ont jetée au sol d'un air bravache.

J'ai levé un sourcil intéressé. Cherché Bernadette des yeux. Voilà qui devrait lui plaire ! Me sont revenues nos promenades dominicales au marché. « Celui-là, il a pas le gaz à tous les étages mais je mettrais bien mes chaussons sous son lit ! » Bon sang, où était-elle partie ?

D'Arhampé a désigné cinq hommes dans la foule. Parmi eux, Chaplin, beau joueur, qui enlevait déjà sa veste et roulait les manches de sa chemise avec une application exagérée.

— *Soka tira !* a lancé d'Arhampé avec emphase.

Son enthousiasme était contagieux. Il s'est posté entre les deux groupes tandis qu'on étendait la corde de chaque côté. Il a rapidement expliqué les règles de cette épreuve de force, règles assez simples en vérité : chaque équipe devait tirer jusqu'à faire avancer l'équipe adverse dans son camp d'à peu près quatre mètres. Un jeu d'enfant pour ces Basques musclés, songeais-je. Mais les invités, grisés par le vin et les cris des convives, étaient déterminés à en découdre.

— Il faut que Bernadette voie ça ! j'ai lancé à Colette.

Toujours attablée près d'Émilienne, elle ne m'a pas entendue. Toutes deux s'étaient connues à Paris. La grande brune s'appliquait à lui raconter par le menu tout ce qu'elle avait manqué. Colette l'écoutait, fascinée. Il était question de son amant du moment. Un aristocrate belge, de ce que je comprenais.

— Il est marié ? a demandé Colette.

— Évidemment ! a répondu Émilienne. Mais généreux !

Elle lui a coulé un regard entendu avant d'agiter ses doigts. À son majeur, l'émeraude sertie de rubis ronds et de saphirs jaunes ressemblait à un feu d'artifice.

— Douze carats !

— Dame ! s'est exclamée Colette, captivée.

— La Pastorale anglaise, qu'elle s'appelle. C'est un joaillier d'Vendôme qui m'l'a dessinée.

La bague, énorme, semblait peser une tonne. À coup sûr, si Émilienne tombait dans un lac, elle s'y noierait.

— Et toi alors ! Raconte un peu ! a-t-elle demandé à Colette en détaillant ses oreilles, son cou et ses doigts nus. Qu'est-ce que tu fais dans ce trou ? De ce que je vois, ici il n'y a que des chèvres, des paysans et des cailloux ! Mais pas de ceux qu'on porte en collier !

Colette a souri, un peu gênée. La Parisienne qu'elle avait été ne pouvait pas lui donner complètement tort.

— Je travaille dans un atelier, a-t-elle répondu en retrouvant une certaine contenance. Je couds des espadrilles.

— Des espadrilles ?

Émilienne a éclaté de rire.

Derrière nous, des cris, des grognements. Charlot, en sueur, ses derbys vernis enfoncés dans la terre, tentait tant bien que mal de tenir tête aux Basques.

— Est-ce que tu sais où est Bernadette ? j'ai demandé à Colette sans un regard pour sa voisine.

Sur ma nuque, le regard inquisiteur d'Émilienne. Colette a secoué la tête.

— Peut-être avec Thérèse ?

J'ai acquiescé. Voulait-elle venir avec moi à sa recherche ? Non, elle préférait rester discuter. On aurait dit un papillon happé par la lumière. J'ai soupiré avant de me mettre en quête de la cuisinière.

Un peu plus loin, à l'autre bout de la table, Mlle Véra, rayonnante, tenait le bras d'un vieil homme dégarni vêtu d'un uniforme à épaulettes. Un commandant ou un général peut-être, sourd, ça c'était sûr. La reine riait à gorge déployée à chacune de ses phrases. J'ai croisé le regard de Mlle Thérèse, qui a levé les épaules, résignée.

J'ai fait le tour des tables, traversé le jardin, suis descendue jusqu'au château. Au loin, la vieille ville de Tardets scintillait doucement sous la lumière de la lune. Où pouvait bien être allée Bernadette ? J'ai visité les salons, le fumoir, les toilettes, et même les cuisines – tout ce personnel, Liz, voilà qui doit t'être familier ! – mais nulle trace de Bernadette. Dans l'air montaient les cris des hommes qui, épuisés, livraient leur dernière bataille face aux colosses basques. J'ai interpellé un serveur en livrée qui émergeait des cuisines :

— Auriez-vous vu une femme de cette taille à peu près, avec une robe bleue et un chapeau à plumes ?

D'un geste du menton, le serveur m'a indiqué le grand escalier qui faisait face à l'entrée. Qu'est-ce que cela voulait dire ? J'ai grimpé les marches, mes pas étouffés par le tapis épais. Dans le couloir désert, une porte entrouverte. Un bruit sourd. Je me suis approchée.

— Arrête !

J'ai pressé le pas, soudain inquiète. *Bernadette !*

— Tu es fou ! On pourrait nous surp…

Bernadette qui gloussait.

— Bernadette ? j'ai appelé en passant la tête par la porte.

Stupeur. La cuisinière, affalée sur le lit, son jupon sur la tête, tentait sans trop d'efforts et dans un grand sourire de repousser un homme. J'ai reconnu la cicatrice, l'œil goguenard, et même le cure-dent.

Marcel et la cuisinière passaient un bon moment.

J'ai pouffé de rire avant de prendre mes jambes à mon cou. Colette n'allait jamais me croire ! Pour sûr, la cuisinière n'en avait rien à faire de mes Basques musclés qui s'escrimaient à la corde ! Elle avait bien assez à faire avec le chauffeur ! Comment ne m'en étais-je pas rendu compte plus tôt ? Ces deux-là allaient aussi bien ensemble qu'une plume et un chapeau.

Je me suis ruée au jardin. Charlie Chaplin, dépité, tentait de reprendre son souffle sous les applaudissements de la foule. Mais déjà d'Arhampé proposait un nouveau jeu.

— Colette ! Tu ne devineras jamais ce que j'ai vu ! j'ai lancé, essoufflée.

Colette ne m'a pas entendue. Elle était pendue aux lèvres d'Émilienne, serpent sournois et agile.

— Tu veux dire que la marquise de la Vigne est ici ? s'étonnait cette dernière.

Colette a acquiescé.

— Fichtre ! Je ne peux pas y croire ! Mais comment as-tu pu… je veux dire…

Regard étonné de Colette.

J'ai senti le vent tourner. Les sourcils froncés de Colette, la fumée de cigarette sortant lentement de la bouche de la brune. Carnassière.

— On ne t'a rien dit, pas vrai ?

J'ai su qu'il fallait l'interrompre. La museler. Saisir Colette par le bras, m'en aller avec elle. Auprès des Demoiselles, à l'atelier, tout ce qui était encore notre monde. Et qui s'apprêtait à s'effondrer.

— Eh bien…

Et là, en quelques phrases, Émilienne a tout pulvérisé. Bien sûr qu'Édouard de Montaigu l'avait reniée. Mais savait-elle pourquoi ? Et surtout, à cause de *qui* ?

Lentement, avec délectation, elle a raconté. Déchirant de ses longs doigts crochus la poitrine pâle de Colette, plongeant au plus profond pour lui arracher le cœur.

À l'époque, tout Paris ne parlait que d'elle. Colette, la merveilleuse, la splendide, l'épatante Colette ! La nouvelle horizontale qui éclipserait toutes les autres... Et une en particulier. Et voilà qu'elle allait devenir duchesse ! Mariée au plus bel aristocrate de la ville. Ah non, vraiment, c'était trop pour une seule femme ! On la jalousait. Sauf elle, Émilienne, bien sûr.

— Entre amies, on ne se souhaite que du bonheur ! Mais tout le monde n'a pas le sens de l'amitié, hein, Coco ?

Des bruits s'étaient mis à courir. Colette était malade. On la disait atteinte de la petite vérole. C'était même devenu son surnom. La Petite Corolle, qu'on l'appelait !

Livide, Colette refusait de comprendre. Elle ? La vérole ? Ça n'avait aucun sens !

Mais Émilienne a continué.

Quelqu'un avait prévenu le duc. Quelqu'un qui dans le passé lui avait offert ses services. Oui, quelqu'un avait parlé au duc pour qu'il n'épouse pas Colette.

— Et son nom, je te le donne en mille, Coco !

Colette n'était plus que l'ombre d'elle-même. Émilienne exultait.

— Tu sais ce qu'on dit, pas vrai ? a-t-elle lancé comme on porte la dernière estocade. « Garde tes amis près de toi, et tes ennemis plus près encore. »

47

Après son récit, il n'y a pas eu de larmes. Pas de cris. Que le silence.

Ce fut pire.

Colette n'est pas revenue chez les Demoiselles. Ni à l'atelier.

Colette n'a pas demandé mon aide.

Colette ne m'a même pas dit au revoir.

Colette a simplement disparu.

48

Quant à Henri, il avait fait ses valises pour New York. Il était parti conquérir d'autres horizons dans une ville à la hauteur de ses ambitions. Loin de l'atelier. Surtout loin de moi.

Il avait tout réglé avant son départ. J'ai reçu une lettre formelle, polie, dans laquelle il s'excusait de nous faire faux bond. Il nous faisait confiance à Colette et moi pour accomplir de grandes choses. Nous étions douées, ensemble rien ne devait nous faire peur. Il nous souhaitait bonne chance. Sans laisser d'adresse.

Par un drôle de hasard comme la vie en a parfois le secret, Colette avait pris elle aussi la route de l'Ouest. Charlie Chaplin était reparti à Hollywood avec une belle blonde au sourire affolant, déterminée à vivre la vie qu'on lui avait volée.

Je me suis retrouvée seule. Je ne pouvais en vouloir à personne.

Et comme si ça ne suffisait pas, la France est entrée en guerre. Le charleston n'était plus qu'un lointain souvenir, bientôt écrasé par les bombes.

49

Le 27 juin 1940, les premières unités motorisées allemandes arrivaient à Bayonne. En quelques jours, elles étaient déployées sur tout le littoral. Les deux tiers du Pays basque se sont retrouvés occupés. Seule notre petite province de la Soule restait libre.

La guerre était là. Morne. Triste. Sauvage.

Il était devenu impossible de s'approvisionner en jute et en coton. Avec l'aide de quelques paysans, je récupérais de vieilles toiles. Jeannette m'aidait à ramasser le jonc dans les marais, j'avais un contact qui me livrait de l'alfa d'Algérie. Je cousais encore quelques paires, mais les machines à coudre ont fini par s'arrêter. Les usines ont fermé. Je ne me faisais pas d'illusions, l'atelier ne serait bientôt plus qu'un souvenir. De mode il n'était plus question. Les dames de Mauléon portaient secours aux blessés habillées en blanc, une croix rouge sur la poitrine. Les boutiques ont mis la clef sous la porte. Terminés les chapeaux à plumes, les sequins, le charleston, le champagne, les épaules dénudées.

Terminé le sourire de Colette.

Je n'étais pas en colère. J'étais devenue une ombre silencieuse. En proie à un chagrin lancinant. Colette,

Henri. Ma solitude. Tout ça n'était que le prix à payer pour avoir convaincu Alma de quitter le village. Pour l'avoir condamnée. Pour avoir laissé Abuela mourir seule.

Chez les Demoiselles, il n'y avait plus de dîners, de froufrous, d'éclats de rire. Mlle Véra restait dans sa maison de Biarritz. Gédéon avait arrêté de chanter. Quant à Mlle Thérèse, elle s'était résignée au départ de Colette. Il allait falloir du temps. La marquise n'avait pas voulu s'expliquer. Elle n'en avait même pas eu l'occasion.

Seul Lupin semblait avoir gardé une certaine sérénité.

— La vie s'écrit, Paloma. Et les chemins qu'elle prend sont parfois tortueux.

Pour lui, tout avait un sens. Moi, j'en doutais. Que fallait-il comprendre de ce naufrage ?

Comme si ça ne suffisait pas, depuis quelques jours mon vieux chat ne mangeait plus, fuyait mes caresses, délaissait les rubans. Don Quichotte repliait ses pattes, posait sa tête dessus et me lançait le plus triste des regards. Il ronronnait faiblement quand je m'approchais. Je sentais que c'était la fin. Mon petit compagnon à l'oreille cassée, au poil soyeux, qui m'avait accompagnée toutes ces années. L'idée de le perdre me brisait le cœur. J'essayais de m'y préparer, mais quand je l'ai trouvé un matin allongé au milieu des tresses, caché dans un coin de l'atelier, j'étais inconsolable. J'ai serré contre moi son petit corps, et Lupin l'a pris pour l'enterrer sous un arbre du jardin. Mon petit chat, ma boule de poils. Pourquoi fallait-il perdre tous ceux qu'on aimait ? Je le revoyais enfouissant son museau dans mon cou, se lovant contre moi la nuit. Au moins il était parti en paix. Lui aussi avait eu une belle vie auprès des Demoiselles.

Et puis des rumeurs ont commencé à circuler. Celles d'un camp à Gurs, à vingt kilomètres à peine de la maison des Demoiselles. *Un camp pour quoi ?* D'abord pour enfermer les républicains espagnols. Puis pour emprisonner des femmes. Allemandes pour la plupart. Mais aussi des opposants politiques. Des homosexuels. Des Juifs. Des prostituées.

Au cœur de notre belle campagne, au pied des Pyrénées, au milieu des champs et des brebis, ils furent bientôt plus de dix-huit mille dans ces baraquements. Là, tout près de nous. C'était insensé !

Très vite la traque des Juifs s'est intensifiée. À Bayonne, des familles entières étaient pourchassées et persécutées. Soixante personnes, dont le grand rabbin Ernest Ginsburger avec qui Mlle Véra avait eu l'occasion de sympathiser chez les d'Arhampé, ont été déportées. Deux seulement rentreraient.

Tout cela prenait une ampleur inimaginable. Et nous ne pouvions pas l'ignorer. C'était là, sous nos yeux ! L'humanité dans ce qu'elle peut produire de plus abject. À deux pas de chez nous, la guerre avait un visage. Celui des femmes et des enfants derrière les barbelés. Imagine, Liz, l'équivalent de cent cinquante terrains de football recouverts d'abris de fortune et de gens affamés et malades en route pour la mort…

Ce camp était le plus grand du sud de la France. Le Béarn devenait le théâtre de la démesure. Durant ces quatre années, plus de soixante mille personnes y ont transité. Quatre mille ont été envoyées dans les camps de la mort. Je n'ai jamais aimé les chiffres, Liz, mais ceux-là, je ne les oublierai jamais. Je ne *peux* pas les oublier, même maintenant que la forêt a presque tout recouvert. Ma main tremble encore en écrivant ces mots.

J'avais honte, Liz. Tellement honte. Aujourd'hui encore. Comment imaginer une telle détresse si proche de nous ?

Ce camp occupait toutes nos pensées. Toutes nos conversations.

Alors, discrètement, avec les armes qui étaient les nôtres, les Demoiselles et moi sommes entrées en résistance. La marquise accueillait les Allemands lors de grandes fêtes dans sa villa biarrote. L'institutrice et moi nous chargions de faire circuler les renseignements qu'elle obtenait. D'informer les réseaux.

Armement, mouvements des troupes, constructions fortifiées du mur de l'Atlantique, rafles programmées, rien ne nous échappait. Mlle Véra n'avait pas son pareil pour délier les langues nazies. Capturées, nous risquions la torture et la déportation. Mais rien ne nous arrêtait. Et pour la première fois, les deux sœurs marchaient main dans la main, soudées comme jamais.

La maison aux volets bleus est rapidement devenue une halte secrète pour les passeurs. Après avoir accueilli les hirondelles, c'était à Mauléon d'envoyer ses fugitifs en Espagne. Il n'y avait jamais eu autant d'hommes dans le salon des Demoiselles. Résistants de toute la France, Juifs, Tziganes, communistes, réfractaires au STO, tous se retrouvaient autour de la même table avant le long voyage à travers les montagnes. Nourris par Bernadette, divertis par la marquise, rassurés par l'œil vigilant de Marcel.

Mlle Véra mettait un point d'honneur à ce que ces fêtes soient inoubliables. Elle se faisait belle, ouvrait les dernières bouteilles de champagne, trouvait du chocolat. Ensemble, nous apportions comme nous le pouvions un peu de lumière dans cette période sombre. Plus les nouvelles étaient mauvaises, plus nos robes étaient froufroutantes, nos décolletés vertigineux, nos plumes d'autruche fournies et nos bijoux voyants. Résister, c'était aussi mettre du khôl sous nos yeux quand tout nous donnait envie de pleurer.

— Je ne pourrai plus jamais penser à la guerre sans penser à vous, m'a dit un soir un allié dont l'avion avait été abattu à quelques kilomètres des Pyrénées.

Autour de nous la fumée des cigarettes, le piano de Lupin, le rire de Véra, les verres qui s'entrechoquent.

— Qui imaginerait que des femmes aussi courageuses et aussi éblouissantes puissent se cacher au milieu des montagnes ? Ce que vous faites est admirable. L'Histoire ne retiendra pas vos noms, mais moi, si.

Son arcade abîmée lui donnait du charme. Entre nous, une tension électrique. La guerre intensifiait tout, Liz. Les drames, les peines, les angoisses. L'amour aussi. Nous pouvions mourir à tout moment. Parfois, j'entendais les bottes des nazis résonner dans la maison et me réveillais en sueur, terrifiée. Autour de nous, les résistants tombaient en grappes. Mais cela n'entamait pas ma détermination.

J'étais devenue experte dans la fabrication de faux papiers. J'avais mis la main sur une trousse de faussaire contenant formulaires et tampons et je confectionnais des jeux complets d'identités. Actes de naissance, certificats de travail, cartes de police, en passant par les cartes d'alimentation, de textile et de tabac dont Mlle Thérèse faisait le meilleur des usages. J'inventais des noms pour les Juifs traqués et mettais toute ma créativité au service de leur survie. Je ne me suis jamais débarrassée de cette valise. Ni du traumatisme que cette guerre aura causé dans nos vies.

Comme d'autres, le bel aviateur a atterri dans mon lit. Un pied de nez aux Allemands. Je m'émerveillais de chaque moment volé à la guerre, de ces éblouissements éphémères. Mais mon cœur ne s'en mêlait plus. J'avais retenu la leçon. Et sans oser me l'avouer, je pensais plus souvent à Henri qu'à Pascual.

Et puis un jour, sa lettre est arrivée.

Elle avait tardé à m'écrire. Mais elle ne m'avait pas oubliée. Colette allait bien. Elle vivait une histoire d'amour merveilleuse avec Chaplin. Installée dans une villa sur les hauteurs de Los Angeles, elle s'essayait à la comédie, apprenait l'anglais, découvrait la Californie. Partageait son amant avec le cinéma. Charlot avait terminé son premier film parlant, et ce malgré les pressions du gouvernement allemand pour le faire interdire. *Le Dictateur* serait son plus grand succès. Grimé en nazi, le clown à moustache contribuait à mobiliser l'opinion publique américaine en faveur des démocraties européennes.

Même loin de nous, le cœur de Colette continuait de battre au rythme des nôtres. D'un bout à l'autre de la planète, nous luttions contre le même ennemi, chacune comme nous le pouvions. Cette idée me faisait du bien. Un jour, aimais-je à espérer, nous verrions la fin de cette guerre et Colette reviendrait.

Août 1944. Après la Provence, c'est le Sud-Ouest qui fut libéré. La dernière garnison allemande a quitté Tardets. Le camp de Gurs a fermé.

La France était en piteux état. La guerre nous avait laissés exsangues. Quant à mon carnet de commandes, il était aussi vide que les caisses de l'atelier. Tout était à reconstruire. Par quoi commencer ? S'approvisionner en matières premières ? Relancer les clients ? Retourner dans les corons, peut-être ? L'idée d'accomplir toutes ces tâches sans Colette ni Henri à mes côtés me paraissait insurmontable. Mais avais-je le choix ? J'ai fini par me retrousser les manches.

Au même moment, en Argentine, à plus de onze mille kilomètres de là, une danseuse de tango était en passe de devenir l'égérie d'une nation. Entre deux numéros de danse, elle faisait la une des journaux mondains, vêtue de robes colorées et de ravissantes espadrilles qui feraient bientôt ma renommée.

Un soir, tandis que je dessinais seule à l'atelier, bercée par un disque de jazz, le téléphone a sonné. Le son strident m'a fait sursauter. Au bout du fil, une voix d'homme rendue aiguë par la distance. Il m'a saluée en espagnol avec un drôle d'accent qui ne m'était pas familier.

— *El señor Gonzáles* à l'appareil. Je suis propriétaire d'un grand magasin à la Recoleta.

— La Recoleta ?

— À Buenos Aires, *señora* !

Il souhaitait passer commande d'espadrilles à plumes, à sequins et à rubans. Quand pouvais-je les lui livrer ?

50

La commande argentine ne pouvait pas mieux tomber. Car pour l'espadrille traditionnelle le vent avait tourné. Dans les corons, des coups de grisou avaient fait des victimes. On inondait les mines pour se prémunir des incendies. La sandale en corde prenait l'eau. Alors il avait été décidé que les mineurs devaient porter des chaussures de sécurité. En l'espace de quelques mois, plus de la moitié du marché de l'espadrille s'était effondré. L'empire de Guerrero était en crise.

Heureusement, j'avais d'autres projets. Si les mineurs n'étaient plus mes premiers clients, il me tardait que les femmes le deviennent.

Après sept ans de guerre puis de privations, les Françaises se réappropriaient la mode. La boutique de la grand-rue a rouvert ses portes. Au même moment, à Paris, un couturier passionné fondait sa maison et présentait sa première collection. Des modèles qui renouaient avec l'élégance et la légèreté. Froufrous, taille cintrée, poitrine ronde, et surtout des jupes amples et gonflées coupées à mi-mollet qui s'harmonisaient parfaitement avec des espadrilles colorées. Christian Dior venait d'inventer le New Look. Un hymne à la séduction et à la féminité.

Enfin, on y était.

Mes stocks de coton et de jute étaient pleins. Soutenue par Jeannette, encouragée par Lupin et portée par l'enthousiasme des Demoiselles, j'ai mis sur pied une collection. Le señor Gonzáles voulait de la nouveauté ? De l'excentrique ? De l'inédit ? Il allait être servi ! En moins d'un mois, je lui faisais parvenir une demi-douzaine de modèles modernes, colorés et audacieux. Chacun portait un nom. *Véra. Colette. Alma.* L'Argentin les voulait tous. Par centaines. Et pour hier. Il n'y avait pas de temps à perdre !

Trois mois plus tard, les commandes sud-américaines ont remis ma trésorerie à flot. Je fourmillais d'idées. L'atelier des Hirondelles s'apprêtait à reprendre son envol.

À un détail près.

Il me manquait des couseuses. À deux, Jeannette et moi ne pourrions pas assurer une production suffisante. Ma danseuse de tango enflammait les foules. L'Argentine réclamait toujours davantage de nouveautés. Mais à Mauléon, plus une seule hirondelle. La guerre civile espagnole était passée par là. Les coups de grisou. Et la crise.

Il me fallait recruter. Mais pas n'importe qui. L'espadrille m'avait sauvée. Les Demoiselles m'avaient tendu la main. Il n'était plus seulement question de coudre des espadrilles. L'atelier des Hirondelles s'accompagnait d'une mission. Il était temps d'aider à mon tour.

51

Jeannette est devenue mon bras droit.

À bientôt trente ans, elle restait pour moi la petite fille joyeuse et attentive que j'avais connue. Mariée, mère de quatre enfants, elle avait besoin de gagner sa vie pour aider sa famille.

— Je viens de recevoir une commande de cinq cents paires compensées, l'ai-je informée un matin. À moins de coudre nuit et jour, je ne vois pas comment on va y arriver.

Nous parlions sans lever la tête de nos ouvrages. Dans l'atelier résonnait un air de swing. L'odeur de la corde se mêlait aux notes délicates du parfum de Jeannette. Jasmin et fleur d'oranger. Plus doux que celui de Colette. Le souvenir de mon amie resurgissait à la moindre occasion.

— J'ai trouvé quelqu'un, m'a-t-elle répondu.

J'ai levé la tête.

— Et elle peut commencer dès aujourd'hui.

L'aiguille tournait autour des tissus. Des laizes d'un rose poudré que nous assemblions à une empeigne dorée. J'avais lu la veille l'interview d'une danseuse de l'opéra de Paris. Sur la photo, des petits rats en justaucorps roses. La délicatesse de leur tenue m'avait touchée.

— Est-ce qu'elle sait coudre ?

J'étais prête à la former, mais nous étions débordées.

— Oui. Et même très bien. Elle a travaillé chez Guerrero.

J'ai levé la tête à nouveau, étonnée. De qui parlait-on ? Les couseuses de Guerrero n'étaient plus qu'une vingtaine. Est-ce que je la connaissais ?

— Je crois, a répondu Jeannette, gênée.

Puis sans me laisser le temps de parler :

— Elle a besoin d'aide, Rosa. Son père la maltraite. Sa mère n'est pas tendre. Je préfère que tu la rencontres.

Jeannette était bien mystérieuse.

Une heure plus tard, elle était de retour, accompagnée d'une petite brune rondelette au nez fin. La vingtaine, de longs cheveux sombres, des hanches larges, un air craintif.

— Rosa, je te présente Angèle.

Angèle ? J'ai froncé les sourcils. Ce prénom. Cette silhouette. Ces cheveux sombres. N'eût été sa timidité maladive, cette gamine tenait tout de sa mère.

Je lui ai souhaité la bienvenue. J'étais émue, mais j'avais trop de pudeur pour le montrer. Sans le savoir, cette petite avait elle aussi fait la route à travers les montagnes.

Quand elle a enlevé son manteau, la ressemblance avec l'ancienne hirondelle s'est faite encore plus troublante. Sous son nombril, un petit renflement. L'espace d'un instant, il m'a semblé voir Carmen.

L'histoire se répétait. Elle se répète toujours. Mais j'allais faire en sorte, pour Angèle, d'en changer le cours.

52

En quelques semaines, Angèle a trouvé sa place. Elle logeait chez Jeannette et l'aidait à s'occuper des enfants. Elle travaillait vite, parlait peu. Mais progressivement nos fous rires et l'ambiance de l'atelier ont eu raison de sa timidité.

— C'est sûr qu'ici c'est pas comme chez Guerrero ! a-t-elle lâché un jour où, épuisées d'avoir cousu toute la journée, nous nous étions mises à danser.

C'était la première fois qu'elle alignait plus de trois mots. Je n'ai pas résisté.

— Comment va ta mère ? j'ai demandé d'une voix chaude.

Son visage s'est refermé. Le sujet était douloureux.

Le roulis des machines à coudre a repris. La nuit est tombée. Ce n'est qu'une fois que nous nous sommes retrouvées seules qu'elle s'est remise à parler :

— Mon père boit, ma mère trinque, mais elle est forte. Elle lui tient tête. Quitte à y laisser des plumes.

Un silence. Je revoyais le visage de Carmen le jour de son mariage. Le rictus de Sancho. Sa main sur son épaule. Le trousseau préparé par les hirondelles. Tragique.

Angèle hésitait.

— C'est elle qui m'a conseillé de venir ici. Quand j'ai appris que…

Elle a levé ses grands yeux craintifs vers moi. Les a baissés.

— Quand j'ai appris que j'attendais un bébé.

Elle n'était pas mariée. Sancho n'accepterait pas l'enfant. Il ne l'avait déjà pas acceptée elle-même, alors ! Ses sœurs, oui. La ressemblance avec leur père était évidente. Mais elle…

Je me suis assise à ses côtés. L'atelier était calme. Sous l'aiguille du gramophone, la voix suave de Billie Holiday. Lupin m'avait déposé le disque le matin même avec un bouquet de pivoines. Les tempes du géant blanchissaient, mais il ne perdait rien de sa superbe.

— Angèle, j'ai dit en lui prenant la main, tu es ici chez toi.

Elle a eu un petit sourire timide, une larme a roulé sur sa joue, et le ronronnement des machines à coudre a repris de plus belle.

Après Angèle, il y a eu Marguerite. Violaine. Simone. Rebecca. Guadalupe. Augustine.

Chacune avait son histoire. Ses raisons. Ses secrets. L'atelier leur offrait un port où poser leurs valises. Pour un temps ou pour toujours. Nous leur donnions un emploi. Un toit. De l'espoir. Ces femmes se serraient les coudes. Et ne rechignaient pas au travail.

Nous étions jusqu'à une douzaine certains mois. Les horaires étaient libres mais bien souvent nous ne quittions nos machines qu'une fois la nuit tombée. Ce n'étaient pas les cadences de Guerrero. Il n'était pas question de coudre plus, mais mieux. Ces sandales étaient raffinées, le montage compliqué. Il fallait prendre le temps. Chaque paire était unique. Cousue avec le cœur. Ces espadrilles avaient une âme.

Le succès argentin s'est bientôt propagé au Mexique. Au Canada. Aux États-Unis. Henri avait-il entendu parler de nous ? Je l'espérais. Pas un jour sans que je pense à lui.

Devant l'afflux des commandes, une question se posait : fallait-il continuer à grandir ? Acheter un autre bâtiment, des centaines de machines ? Devenir comme Guerrero, enfin ? La réponse était évidente. Nous ne ferions pas dans la quantité, mais dans la qualité.

J'ai augmenté les prix. Imposé une collection par saison, fabriquée en nombre limité. Contre toute attente, la demande n'en a été que plus forte. La rareté créait le désir. Devant le grand magasin du señor Gonzáles, des femmes faisaient la queue à chaque réassort. Dans son espagnol coloré, il me suppliait de lui en faire parvenir davantage. De venir m'installer à Buenos Aires. Toutes ces beautés qui réclamaient de quoi chausser leurs pieds délicats lui brisaient le cœur. Comment refuser ? Ses coups de téléphone faisaient la joie des couseuses. Nous lui devions beaucoup. Tout comme nous devions beaucoup à Pascual. Je ne savais pas ce qu'était devenu le berger aux mains douces, mais je pensais parfois à lui avec quelques regrets.

Le bébé d'Angèle est né. Un beau garçon à la peau sombre et aux doigts minuscules. Elle l'a appelé Xabi. Jeannette avait mis sur pied une crèche, tenue par sa mère et quelques vieilles du village. Les enfants de l'atelier y grandissaient ensemble. Certaines couseuses étaient des filles mères. D'autres venaient ici pour qu'on les aide à ne pas le devenir. Nous ne jugions personne. Prenions soin de chacune.

C'est Mlle Véra qui avait rencontré le docteur Lamy. Il avait été invité à l'une des soirées qu'elle organisait pendant la guerre sur la côte pour les Allemands. Plus jeune qu'elle, il lui vouait une admiration sans limite. Que lui avait-elle raconté sur son passé ? Nul ne le sait. Toujours est-il que dès que l'une des couseuses en exprimait le besoin, Mlle Véra appelait le docteur Lamy. L'homme s'assurait que ces filles puissent disposer de leur corps comme elles l'entendaient. Et crois-moi, Liz, à l'époque, il n'y en avait pas beaucoup comme lui. Le nom de l'atelier circulait sous le manteau. Des femmes venaient de la France entière pour se réfugier chez nous. Il n'était plus question de traverser les Pyrénées pour se constituer un trousseau, mais de coudre des espadrilles pour prendre le contrôle de sa vie. L'atelier pour se reconstruire, s'assumer, s'émanciper. Et prendre un nouveau départ. Ces femmes ne restaient parfois qu'une saison. À leur manière, nombre d'entre elles étaient des hirondelles.

Le succès des Amériques nous a bientôt permis d'agrandir l'atelier. Nous avons fait construire un étage pour y entreposer le stock supplémentaire. Dans un coin, Mlle Thérèse y a fait installer un tableau, des pupitres et une bibliothèque. Elle aurait bientôt quatre-vingts ans. Si les années avaient fragilisé ses jambes, elle avait toute sa tête. Toujours aussi vive, sensible et cultivée, elle était pour les jeunes filles de l'atelier la grand-mère dont elles avaient toujours rêvé. Ses yeux rendus immenses par ses verres épais, elle nous faisait la lecture. Colette. Beauvoir. Sand. Je crois encore entendre sa voix frêle et les débats que ne manquaient pas d'occasionner ces livres. Il y était question d'hommes, de liberté, de plaisir aussi.

Les journées passaient. Les aiguilles des couseuses transperçant inlassablement le tissu et la corde. Bercées par la voix d'Ella Fitzgerald, par la guitare de Django Reinhardt, et par la trompette de Roy Eldridge. Chaque succès, chaque arrivée, chaque naissance, chaque départ était l'occasion d'une fête. Au milieu des machines, des croquis, des maquettes et des boîtes à chaussures, on dansait, on riait, on chantait. Parfois les Demoiselles nous rejoignaient, Gédéon sur l'épaule. Le temps n'avait pas usé son répertoire. Si Mlle Véra n'avait rien perdu de son port altier, quelque chose en elle semblait à la fois plus doux et plus fragile. Elle passait à l'atelier presque chaque jour, conduite par Lupin, appuyée sur le bras de Bernadette. Elle connaissait chaque couseuse par son prénom. Chaque modèle.

S'enquérait des commandes. Des avis des clients. Se réjouissait de l'atelier qui grandissait. Et bien sûr s'inquiétait de me voir célibataire. Est-ce que je prenais le temps de voyager en bonne compagnie entre mes draps ? Bernadette riait et se gardait bien de la contredire. Toutes deux rêvaient que je rencontre enfin un homme. Pas pour une nuit, mais pour la vie.

Je haussais les épaules. Sans doute était-ce mon destin. J'allais avoir quarante ans. Des premières rides étaient apparues près de mes yeux. Sur ma tête, mon canotier à cerises n'avait pas bougé. L'âge aidant, je m'étais habituée à ma propre compagnie. M'étais faite à l'idée que mon bonheur à venir s'écrirait entre les murs de l'atelier. Sans mari, sans enfant. Sans Colette.

Chaque fois que son prénom était prononcé en sa présence, Mlle Véra se fermait. Une seule personne semblait souffrir autant que moi de son absence. Et c'était elle. Plus de quinze ans que la belle blonde était partie pour le Nouveau Monde. Il me semblait que c'était hier.

53

— Bientôt ton anniversaire, Paloma ! s'est exclamée Mlle Véra un soir.

Malgré son âge avancé – dont le chiffre était tabou –, la marquise n'avait rien perdu de son goût pour la fête, le champagne, les fruits de mer et les virées en automobile. Elle a missionné Lupin pour qu'il nous organise « quelque chose ». Et Mlle Véra entendait par là « quelque chose de grandiose ». Dîner royal, piano, cotillons. Robes à plumes, musiciens, et même une troupe d'acrobates. On a installé des tables et des chaises dans le parc qui jouxtait la maison des Demoiselles. Des guirlandes, des lampions. Pour l'occasion, les couseuses s'étaient faites belles. Une vraie garden-party ! Chacune y était allée de son talent de couturière. Jupes bouffantes, tailles cintrées, tulles à volants, tissus à pois, imprimés floraux. Vraiment, Liz, ces filles avaient du panache.

Appuyée au bras du docteur Lamy, Mlle Véra a fait son entrée, sublime, majestueuse. De sa tenue jusqu'au menu, de la décoration des tables aux discours en passant bien sûr par la musique, rien n'avait été laissé au hasard. J'étais comblée d'attentions, de mots tendres. Ces gens-là n'avaient avec moi aucun lien de sang. Et pourtant ils étaient ma famille.

Lupin et la reine avaient tout prévu. Ou presque.

Vers dix-neuf heures, alors que le champagne coulait à flots, une voiture s'est arrêtée devant la maison aux volets bleus. À l'intérieur, une montagne de valises, de malles et de boîtes à chapeaux. Et une femme blonde vêtue d'une ample jupe beige plissée et d'une veste ajustée à gros boutons. Sur sa tête, une capeline bordée de soie et surmontée d'un oiseau. À ses pieds, *Paloma*, notre modèle le plus chic. Une paire compensée qui enserrait les chevilles d'un long ruban moiré. Mon préféré.

— Tu n'imaginais quand même pas fêter ça sans moi ! s'est-elle exclamée.

Silence. La petite foule des invités s'est retournée.

Je n'ai pas eu le temps de comprendre que Colette était déjà dans mes bras.

J'ai plongé mon nez dans ses cheveux. Son parfum. La douceur de sa peau. L'éclat de son rire. Mon cœur a manqué un battement.

Colette !

Revenue !

Entre rires et larmes, nous n'en finissions pas de nous embrasser. Bernadette lui a sauté au cou à son tour. Nos corps emmêlés, nos mains entrelacées, du rouge à lèvres partout sur nos joues. Lupin s'est approché, un sourire jusqu'aux oreilles. Sur son épaule, le cacatoès vêtu d'un nœud papillon.

— *Y a un quai dans ma rue, y a un trou dans mon quai !* s'est mis à chanter Gédéon.

Mlle Thérèse a essuyé une larme avant de nous rejoindre, penchée sur sa canne. Quant à la marquise, elle est restée à l'écart. Mais l'expression de son visage trahissait son émotion.

Colette…

Revenue…

Les effusions passées, la belle blonde a tendu sa longue main gantée vers une jeune fille qui attendait près des valises. Seize ans à peine, des yeux clairs et ce regard mutin qui m'était familier. Mais une chevelure rousse incroyable que l'adolescente peinait à domestiquer sous un béret à plume.

— Je vous présente Romy.

54

Allongées sur mon lit comme au bon vieux temps, nous avons parlé toute la nuit. Les questions se bousculaient, je voulais tout savoir, Colette aussi. Une digression en amenait une autre, nous nous éloignions de l'essentiel pour mieux y revenir, nous battions pour laisser l'autre parler la première.

Mais Colette en savait plus que moi. Elle avait eu vent du succès de l'atelier, là-bas en Amérique. Elle possédait une paire de chacun de nos modèles. Pour cela, elle avait dû recourir à mille stratagèmes. Elle était même allée jusqu'à payer un Argentin pour avoir la primeur des nouvelles collections. Elle n'avait jamais douté que mes créations seraient un succès. Ce qu'elle était fière !

— Mazette, Paloma ! T'as bien fait de crever un œil à ce dégénéré ! Sinon, on y serait encore !

J'ai pouffé. Pensé à Lupin pour qui chaque chose prenait un sens quand on se retournait sur son passé. De l'ombre surgissait toujours la lumière.

— Et toi ? l'ai-je pressée, aussi impatiente que fébrile à l'idée d'évoquer les jours qui avaient suivi cette terrible soirée.

Je revoyais la grosse émeraude au doigt d'Émilienne, l'effroi dans les yeux de Colette.

Entre nous, un silence. Pareil à un animal encombrant dont nous discernions à peine les contours.

— Est-ce qu'elle… est-ce que Véra et toi en avez reparlé ? a-t-elle demandé, soudain rembrunie.

— Jamais.

Et c'était vrai. Je n'avais jamais osé aborder le sujet avec Mlle Véra, je ne craignais pas sa colère, je craignais son chagrin. Pour une raison qui m'échappait, il m'avait semblé qu'en parlant, Émilienne avait bien sûr blessé Colette mais Mlle Véra encore davantage.

La voix aiguë de Joséphine Baker se mêlait à la fumée de nos cigarettes.

Colette s'est levée et s'est postée devant mon miroir. Soudain grave, elle détaillait son visage. Le contour de ses yeux. Son front marqué.

— J'aurais dû t'écrire davantage, Paloma. Pas un jour n'est passé sans que je me demande si je devais rentrer. Ça a été difficile.

Au tremblement de ses mains, j'ai su que ça avait été bien plus que ça.

— Heureusement qu'il y avait Chaplin. Cet homme m'a sauvée.

Je revoyais le moment de leur rencontre ce soir-là chez les d'Arhampé. Les mimiques de l'acteur. Son visage en caoutchouc. La robe lamée de ma blonde. Le temps suspendu.

Colette et Charlot s'étaient follement aimés. La petite Française qu'elle était avait plongé dans leur idylle avec l'enthousiasme d'une condamnée. Il l'avait serrée dans ses bras si fort qu'elle avait retrouvé son souffle. À l'abri de la Cité des Anges, Chaplin avait fait de Colette sa muse, son étoile, sa déesse. Il la gâtait, l'emmenait découvrir la côte, le désert, les canyons, les forêts. Des suites du Château Marmont aux stucs blancs de Santa Barbara, Colette s'émerveillait de ce luxe doré, bercé par la mer et nourri de l'enthousiasme si propre aux Américains. Dans ce pays, n'importe qui pouvait écrire sa légende. Se réinventer.

Mais Charlot avait bientôt été rattrapé par sa passion du cinéma. Il s'absentait chaque soir un peu plus longtemps, accaparé par ses projets, les studios, les premières, s'agaçait pour un rien, lui reprochait son empressement. Colette venait d'apprendre qu'elle était enceinte. Elle avait besoin de lui à ses côtés. Chaplin s'efforçait de la rassurer, avant d'être happé par un nouveau projet. Une passion en appelant une autre, son chemin avait croisé celui d'une jeune actrice américaine. Paulette Goddard. Vingt et un ans. Qu'il avait épousée, *elle*.

J'ai soupiré. Colette a balayé mon agacement d'un mouvement de la main.

— Oh, ne t'inquiète pas, ils ont divorcé depuis ! Et il m'a laissé la villa et une pension généreuse. Ce n'est pas un mauvais bougre, mais crois-moi, Paloma, les artistes font de bien mauvais amants ! Tourmenté, solitaire, Charles ne faisait pas exception. Ses sourires étaient réservés aux étrangers. À la maison, il n'était qu'un clown triste. Beau, brillant, mais sinistre.

Son franc-parler m'avait tant manqué. Comment avais-je pu survivre si longtemps loin d'elle ?

— Entre-temps, Charles m'avait présentée à tout le monde. J'ai été retenue pour un film. Puis deux. Mon accent français les enchantait, mais la concurrence est rude là-bas, Paloma. Et je n'étais déjà plus très jeune…

Perdue dans ses souvenirs, elle a fait la liste des films dans lesquels elle avait joué. Aucun n'était arrivé jusqu'à Mauléon. Mais j'en étais certaine, Colette crevait l'écran.

— Romy était en adoration devant son père. Il passait la voir tous les jours. La gâtait, l'emmenait sur les tournages, lui inventait des histoires. Qui étais-je pour les séparer ? Alors j'ai tenu bon, malgré la solitude et le téléphone qui avait arrêté de sonner. Je n'ai jamais été aussi entourée qu'à Los Angeles, Paloma. Jamais aussi seule non plus.

Mon cœur s'est serré. Elle s'est tournée vers moi, un sourire jusqu'aux oreilles.

— Tu m'as manqué, Paloma, mais pas autant que la cuisine de Bernadette ! Viens, j'ai besoin de manger.

Je l'ai poussée sur le lit pour sortir la première. La maison des Demoiselles était plongée dans le noir. Nous gloussions comme des pintades.

— Arrête, tu vas les réveiller !

Dans la cuisine j'ai mis la main sur un pain de campagne, du jambon, du fromage.

— Tu vas quand même pas ouvrir une bouteille à trois heures du matin ! je me suis indignée.

— Qu'est-ce qui m'en empêche ? Pour moi, il est dix-huit heures ! Il est temps que je reprenne les bonnes habitudes.

Un silence. Je n'osais pas poser la question. Et puis je me suis lancée, inquiète :

— Alors tu vas rester ?

J'avais les yeux brillants.

— Faut bien que je m'occupe de toi ! a-t-elle soupiré. Non mais regarde ! Un peu plus et tu finissais vieille fille comme Thérèse !

Redevenue sérieuse, elle m'a confié que leur départ avait provoqué les hurlements de Romy. L'adolescente n'adressait plus la parole à sa mère.

— Elle adore son père, elle rêve de devenir actrice et elle considère que Los Angeles est le centre du monde ! s'est exclamée Colette quand je lui ai demandé les raisons de son courroux. Trois bonnes raisons de ne jamais quitter la Californie. Et tout à coup, moi qui lui annonce qu'on part en France. « À Paris ? » qu'elle m'a demandé. Imagine sa tête, Paloma, quand je lui ai dit qu'on allait à Mauléon ! C'était même pas sur son globe terrestre !

Heureusement, la jeune et jolie rousse parlait français. Un français adorable, marqué d'un fort accent américain, et qui s'emmêlait sans cesse dans des expressions étranges comme on allait le découvrir. « Il pleut des chats et des chiens ! » se lamentait-elle devant la vitre, après trois jours ininterrompus d'orage. « J'ai une grenouille dans la gorge », disait-elle, enrouée, se désespérant de trouver dans cette campagne un professeur de chant et de théâtre digne de ce nom.

Cette adolescente ne faisait rien pour nous plaire. Tout ici la désespérait. Mais pourtant, quelque chose en elle la rendait attachante. Son nez froncé, ses mimiques, et puis la douceur enfantine qui perçait encore derrière les airs de femme qu'elle essayait de se donner. Elle avait du caractère. Parfois, elle me rappelait celle que j'avais été.

— Qu'est-ce qui vous a poussées à partir ? j'ai demandé à Colette.

Charlot allait mal, accablé par des procès et les accusations d'une ancienne maîtresse qui voulait le forcer à admettre la paternité de son enfant. Le public le boudait. La presse se déchaînait, le FBI s'en était mêlé, on l'accusait d'être communiste, il n'était plus que l'ombre de lui-même. Sa créativité réduite à néant. Il avait entamé une histoire d'amour avec Oona, une jeune protégée âgée de dix-huit ans qui jalousait sa relation avec Romy.

Pour protéger sa fille, Colette avait décidé de rentrer. De l'eau avait coulé sous les ponts. Bien sûr, elle en voulait encore à Mlle Véra. La marquise lui avait volé sa vie. Le moment venu, il allait falloir qu'elles aient une sérieuse conversation. Mais en attendant, Colette n'avait nulle part où aller. Le départ pour Mauléon s'était imposé comme une évidence.

— C'est dingue ce qu'elle te ressemble ! me suis-je exclamée, la bouche pleine.

Sur son visage, un sourire doux que je ne lui connaissais pas. Ma blonde aimait cette enfant plus que de raison. Pour elle, elle était prête à tout.

— Elle est bien plus intelligente que sa mère, a-t-elle dit soudain.

— C'est pas difficile ! me suis-je esclaffée.

Nous avions quinze ans à nouveau. Le vin me montait à la tête. La cuisine était silencieuse, illuminée seulement par la lumière d'une bougie. J'ai glissé mes pieds froids sous mes cuisses.

— Romy est intelligente…, a lancé Colette d'une voix sourde. Mais elle est fragile.

Fragile ? Cette gamine aux joues roses avait pourtant l'air en pleine forme ! Je m'apprêtais à plaisanter à nouveau. Me suis reprise en apercevant dans les yeux de mon amie une lueur sombre.

55

C'est peu après le retour de Colette que j'ai eu des nouvelles d'Henri. Pas des nouvelles directes, bien sûr – nous n'avions plus été en contact depuis son départ pour New York –, mais par la presse. Son nom faisait la une du journal local. « L'enfant du pays a trouvé la recette de la chaussure idéale ! » titrait *La République des Pyrénées.* Sous l'article, Henri, tout sourire, montrait au photographe un soulier beige cranté.

Il était rentré deux ans plus tôt d'Amérique. Dans son sac, un brodequin en toile sur lequel il avait adapté une épaisse semelle obtenue avec de la pâte à caoutchouc chauffée sur un réchaud à gaz. D'où le nom qu'il lui avait donné : Pataugas.

Henri avait profité des coups de grisou et de la crise de la semelle en corde pour mettre la main sur le marché des chaussures de loisir. En quelques mois à peine, tout le monde s'arrachait ses modèles, du mineur à l'alpiniste, du marcheur au sportif du dimanche. Le général de Gaulle lui-même irait à la rencontre d'Henri quelques années plus tard. Lors d'une foire à Pau, il lui dirait de sa voix grandiloquente : « Votre marque Pataugas est connue partout ! »

Dans les journaux, Henri racontait encore et encore son histoire. L'idée lui était venue, disait-il, en regardant les Pyrénées par la fenêtre de son atelier de Mauléon, petite bourgade nichée au cœur du Pays basque. Il rêvait d'escalader les montagnes. Mais pour ça, il fallait être bien chaussé.

Dans ses récits, aucune référence à notre virée à Espelette, au gamin et à son pneu. J'avais disparu de sa vie et de sa mémoire.

Colette et moi suivions son ascension dans la presse. Un jour à Paris, le lendemain à Londres. Toujours aussi malin, il organiserait bientôt une vaste campagne publicitaire en envoyant trois de ses employés faire le tour de la France à pied. Pendant plusieurs mois, les trois Etché (Etcheberry, Etchegoyen et Etchebarne) parcourraient plus de mille kilomètres afin de faire connaître la Pataugas. De Mauléon à Lille, on ne parlerait que d'Henri, de son génie, de son charisme.

Sur les photos, il n'avait pas changé. Mieux, l'âge lui allait bien.

— Tu veux une loupe ? m'a lancé Colette un jour que je collais mon nez au journal pour mieux détailler son visage.

J'ai haussé les épaules, tourné la page, l'air de rien.

Colette avait rejoint l'atelier, où elle supervisait le travail des couseuses. Elle avait été immédiatement adoptée par Jeannette et Angèle qui voyaient en elle un mentor bienvenu. Malgré les années, Colette n'avait rien perdu de son talent de couturière.

Magnétique, créative, pleine d'esprit : les qualificatifs ne manquaient pas pour décrire celle sur qui le temps ne semblait pas avoir de prise.

Nous avions fait bon usage de son carnet d'adresses américain pour faire connaître nos modèles. Après la danseuse de tango, c'était au tour d'Hollywood de découvrir mes espadrilles. Les chaussures étaient envoyées en cadeau aux nouveaux visages qui faisaient la une des magazines. Les actrices étaient devenues les nouvelles femmes d'influence, comme les cocottes en leur temps. Leurs tenues étaient épiées, commentées et imitées. Une paire d'*Alma* pour Marilyn Monroe, de *Bernie* pour Lauren Bacall, de *Thérèse* pour Marlene Dietrich. Et pour Elizabeth Taylor des *Romy* – des compensées en corde naturelle et cuir doré. La belle brune aux yeux d'améthyste faisait l'admiration de l'adolescente. Les étoiles françaises n'étaient pas en reste, et nos espadrilles ont enrichi le vestiaire de Joséphine Baker, de Jeanne Moreau et d'une jeune première que Mlle Thérèse aimait beaucoup : Brigitte Bardot.

— Écris-lui, nom d'un chien ! s'est agacée un jour Colette tandis que je déplorais que la presse française ne parle que des succès d'Henri sans un mot pour nous. Après tout, il a toujours été poli, même quand il nous a quittées. Il mérite des félicitations pour ce qu'il a accompli.

Lui écrire ? Je me retenais d'exploser. Et moi alors ? M'avait-il félicitée ? Monsieur n'était pas le seul à savoir vendre des chaussures ! Tiens, la veille encore, Picasso m'avait commandé trois paires de

Lupin, des tuilières à rayures noires et blanches ornée d'un ruban sombre. Et Dalí qui s'affichait partout avec mes *Marcel,* l'avait-on déjà vu peindre en Pataugas ? Henri m'énervait. Je me repassais sans cesse le scénario du matin où il était parti sans un mot. Coucher avec Pascual méritait-il près de vingt ans de silence ?

J'ai froissé le journal. Direct à la corbeille.

56

Je n'ai pas tardé à comprendre ce que Colette entendait par « fragile ».

À son arrivée, Romy a traversé des mois difficiles. Enfermée dans sa chambre, elle refusait de sortir de son lit. Colette s'alarmait, coupable. C'était elle qui l'avait fait sombrer en l'amenant ici ! Fallait-il repartir à Hollywood ? Mais de quoi vivraient-elles là-bas ? Il était hors de question d'être aux crochets de Charlot, d'ailleurs il n'avait plus rien, déshabillé par les procès et un public ingrat. Colette n'en finissait plus de s'interroger sans parvenir à trouver de solution acceptable. Ici, elles étaient entourées. Colette gagnait sa vie. Mais si le Pays basque l'avait soignée, elle, en son temps, il semblait pousser sa fille dans des gouffres de chagrin.

Romy n'acceptait de parler qu'à Mlle Véra. Ce qui comme tu l'imagines, Liz, ne manquait pas d'agacer sa mère. La marquise était la seule qui parvenait à la sortir de son lit. Elle lui rendait visite depuis sa maison sur la côte et l'emmenait faire un tour en compagnie de Lupin. Que se disaient-elles ? Colette mourait d'envie de le savoir. Mais la reine l'évitait toujours. Comme Romy. L'ambiance dans la maison était morose et, accaparée par l'atelier, je n'y passais que peu de temps.

Et puis peu à peu, Romy s'est remise sur pied. Chaque matin, installée près d'un pupitre, Lupin au piano, elle chantait. Travaillait son souffle. Enchaînait les exercices de technique vocale. Étendait son répertoire. Elle avait une voix d'alto assez inattendue au regard de sa silhouette gracile de petite souris rousse. Quand elle chantait, ses yeux exprimaient une palette d'émotions infinie. Son père lui avait transmis son visage élastique. Elle était vive et travailleuse. Touchante dans sa détermination. Un jour, elle rentrerait aux États-Unis. Deviendrait la nouvelle voix américaine. C'est ce qu'elle ne cessait de répéter.

Sans doute n'était-il pas évident de vivre dans l'ombre d'une mère aussi belle et adorée de tous. Le souffle de Colette emportait tout sur son passage. Drôle, lumineuse, charmante, elle traversait le monde avec une légèreté merveilleuse. Romy était plus sombre, plus sauvage. Dans le choix de ses chansons transparaissait l'émotion d'une jeune fille déracinée à qui son père manquait terriblement. Elle écrivait de petits textes qu'elle n'osait chanter que dans l'intimité de sa chambre. De ma vie, Liz, je n'ai jamais rien entendu d'aussi poignant. Soumise à tous les vents, elle s'agrippait à ce qu'elle pouvait pour garder la tête hors de l'eau.

Et puis un matin, elle nous a rejoints à la cuisine, souriante et volubile. Elle a embrassé Bernadette, félicité Marcel pour son élégance, s'est enquise de l'actualité de l'atelier, et s'est confiée sur ses rêves de chanteuse à succès. Elle s'était mis en tête d'organiser un concert dans la maison de Mlle Véra. Il fallait lancer les invitations, acheter une robe, des fleurs, préparer un menu, avertir la presse. Euphorique, elle voyait grand, ne s'arrêtait plus de parler, se projetait dans des dépenses insensées.

— On n'a rien sans rien, Véra ! répétait-elle en faisant une énième liste de tout ce que Lupin devait acheter en ville.

Les jours suivants elle ne mangeait plus, passait ses nuits à tout préparer, répétait encore et encore son numéro de chant. La pauvre Véra tentait comme elle pouvait de la suivre, soucieuse de la gâter, de lui faire oublier son chagrin. De lui donner envie de rester.

Mais en quelques semaines, l'humeur de Romy a de nouveau viré à l'orage. Des dizaines de robes entassées dans son armoire, elle n'en porterait aucune. Le concert a été annulé, les partitions rangées. Jusqu'à la prochaine fois.

Romy était totalement imprévisible.

Elle passait du rire aux larmes, menaçant de mettre le feu à la maison avant de glisser un disque sous l'aiguille et d'inviter Mlle Véra à valser. Parfois elle me rejoignait à l'atelier quand sa mère n'était pas là. Le regard dans le vide, elle écoutait ronronner les machines à coudre, nourrissait Gédéon, promenait sa frimousse tendre au milieu des rubans.

Son vague à l'âme me brisait le cœur. Je me désespérais de trouver les mots pour la rassurer. Et la tristesse des yeux de Colette me faisait percevoir combien elle-même se sentait impuissante à aider sa fille.

Parfois, à la faveur d'une soirée d'été ou d'un dîner au coin du feu, nos fêtes nous réunissaient dans une joie de vivre formidable. Abolissant le temps, les chagrins, et l'humeur fragile de la jeune fille. Mlle Véra l'emmenait souvent avec elle à Biarritz. Romy connaissait tout le monde. Elle était de toutes les réceptions. À chaque fois, la marquise insistait pour qu'elle chante. La voix de Romy remportait tous les suffrages. Cette fille serait connue un jour ! s'exclamaient les convives. Les compliments n'engageaient à rien et faisaient plaisir à Véra. Mais une fois les invités partis, Romy restait seule avec ses espoirs, son piano et ses chansons.

Et puis elle s'est intéressée aux hommes. S'est mise à jouer de ses charmes. Sa mère lui avait légué ses courbes affolantes. Pas un ne résistait à son regard de miel. Mlle Véra était vigilante, mais après tout Romy ne faisait rien de mal en se faisant du bien. Si la jeune femme s'imaginait la choquer en faisant défiler tout Biarritz entre ses draps, elle se fourrait le doigt dans l'œil ! Qu'aurait bien pu faire Romy pour se rebeller ? Fumer ? Véra lui tendait une cigarette. Boire ? Bernadette débouchait une bouteille. Dans cette maison, le plaisir était une religion. Imagine, Liz, comme il a dû être difficile pour Romy d'être une adolescente en révolte avec un entourage comme le nôtre !

Et puis un jour ce qui devait arriver arriva. Romy est tombée enceinte.

57

— Est-ce que tu comptes le garder ? a demandé Colette avec la plus grande délicatesse du monde.

Romy s'est insurgée. Elle aurait dix-huit ans bientôt ! Qui était sa mère pour lui dicter sa conduite ? Colette n'a même pas osé demander le nom du père. Des années plus tard, quand je lui poserais la question, Romy se montrerait vague, évoquant tantôt un jeune Mauléonais sans avenir, tantôt un riche Américain de passage sur la côte, rejouant inconsciemment l'histoire de la rencontre entre ses parents.

Deux ans plus tôt, elle s'était mis en tête de rejoindre son père. Il lui écrivait de temps à autre des missives courtes où il parlait principalement de cinéma. Il avait épousé Oona qui lui avait déjà donné trois enfants et s'apprêtait à lui en faire cinq autres.

Romy avait bouclé ses valises, réservé son billet, préparé sa tenue pour le jour de leurs retrouvailles. Le cœur brisé, Mlle Véra avait toutefois réussi à la convaincre de prévenir son père de son arrivée. D'abord réticente, elle avait finalement rédigé la plus belle lettre qui soit. Elle lui expliquait son projet de devenir chanteuse, le tremplin que Londres pourrait être pour elle, et lui disait surtout son impatience à vivre avec lui. Il lui manquait tellement !

La réponse n'avait pas tardé.

Dans un courrier tapé à la machine par une assistante zélée, il lui parlait du film qu'il préparait, une merveille intitulée *Les Feux de la rampe*, et dans lequel joueraient ses enfants. Il lui ferait envoyer un billet d'avion pour qu'elle assiste à la première, mais mieux valait qu'elle reste au Pays basque. Il était très occupé. Rendait-elle visite parfois aux d'Arhampé ? Qu'elle ne manque pas de les saluer de sa part. Il l'embrassait bien fort et lui disait de prendre bien soin d'elle.

À la lecture de la lettre, Romy avait sombré. Ses enfants ? Et elle ? N'était-elle pas sa fille, elle aussi ? Pourquoi n'avait-elle pas été sollicitée pour jouer dans son film comme tous ses frères et sœurs ? Comptait-elle moins qu'eux à ses yeux ? Son adoration pour son père s'était écrasée contre le mur de son indifférence.

Pendant un temps, sa grossesse lui a changé les idées. Elle s'est mise à tricoter, brodait nuit et jour des grenouillères, dépensait l'argent qu'elle n'avait pas en accessoires de puériculture. Elle était décidée à aimer cet enfant comme elle pensait ne l'avoir jamais été.

Depuis qu'elle avait appris la nouvelle, Colette, elle, s'était éteinte. C'était une chose de devenir mère à dix-huit ans, c'en était une autre de l'être quand on était fragile comme Romy. Qu'adviendrait-il de ses rêves ? Comment devenir une chanteuse à succès avec un bébé sur les bras ? Et surtout, comment s'occuperait-elle d'un enfant alors qu'elle ne savait même pas s'occuper d'elle-même ? Bien sûr qu'elle l'aiderait, mais on ne remplaçait pas une mère.

Pudique, Colette gardait ses inquiétudes pour elle, mais nos discussions la nuit dans ma chambre se faisaient de plus en plus rares. Lupin lui prêtait son oreille, tentait de la rassurer. Romy n'était pas seule. Nous serions là pour l'épauler.

— Mais elle est si jeune ! s'alarmait Colette. J'aimerais tellement qu'elle comprenne que je ne lui veux que du bien ! Elle ne me parle plus, on dirait qu'elle craint que je ne lui gâche la vie ! Hier elle m'a même dit que j'étais jalouse d'elle ! Jalouse, Lupin !

Elle avait les larmes aux yeux.

Le géant sombre l'a regardée longuement, peiné pour elle mais aussi pour Romy qui souffrait autant que sa mère. Puis il a dit :

— Colette, peut-être que tu devrais commencer par changer en toi ce que tu veux voir changer autour de toi.

Elle l'a fixé de ses grands yeux interrogateurs. Que signifiaient ces formules sibyllines ? Son cœur de mère gonflé de chagrin ne voulait rien entendre.

Je ne comprendrais cette phrase que bien plus tard, quand je me repasserais le film de ces années, seule au coin du feu.

58

Seul le succès grandissant de nos espadrilles parvenait à redonner un peu de couleurs à Colette. Les commandes américaines atteignaient des sommets. Nous croulions sous le travail et les caisses de l'atelier étaient à flot. Liz Taylor nous avait écrit pour nous remercier. Elle porterait nos espadrilles dans son prochain film et embrassait Colette sans oublier sa fille, qu'elle espérait toujours aussi radieuse. Romy ne touchait plus terre.

Pourtant, si les espadrilles des Hirondelles faisaient le bonheur du gratin d'Hollywood, elles restaient peu connues en France. Je me réjouissais certes de nos succès outre-Atlantique, mais – et j'aurais préféré mourir plutôt que de l'avouer – je jalousais le niveau de popularité qu'avait atteint Henri. Aucun journal, même la feuille de chou la plus infâme, n'avait jamais fait d'article à notre sujet. On était loin de l'adoration que la presse nationale portait au créateur des Pataugas.

Et puis un après-midi d'hiver, une voiture s'est arrêtée devant l'atelier. Une joyeuse troupe en est sortie, tout en fourrures, en capelines et en escarpins. À sa tête, un homme au visage rond et au crâne dégarni. La petite cinquantaine, vêtu d'un costume parfaitement coupé, il est entré d'un pas calme dans l'atelier. Homburg sur la tête, fine cravate noire à pince, il tenait à la main des gants en cuir qui lui donnaient une prestance formidable. Colette a trouvé qu'il ressemblait à un Hitchcock amaigri. Elle n'avait pas complètement tort. Si cet homme n'avait rien à voir avec un producteur de films, c'était pourtant bien Marlene Dietrich qui l'avait guidé jusqu'à nous.

— Elle refuse de porter autre chose que mes créations, nous a-t-il expliqué. À l'exception des chaussures, pour lesquelles elle ne parle que de vous et de vos espadrilles !

Rires polis dans le groupe. Le Hitchcock maigrichon a désigné les couseuses du menton.

— Vous faites tout à la main ?

— Oui. Il n'y a plus que pour la tresse que nous utilisons des machines.

Qui était cet homme ? Il semblait intimidé malgré son élégance décontractée. C'est Colette, avec son sourire irrésistible, qui la première lui a tendu la main.

— Voulez-vous faire un tour de l'atelier, monsieur… ?

— Dior. Christian Dior.

Et puis, avec une modestie proprement étonnante pour un homme de sa renommée, il a ajouté :

— Je suis couturier.

Jeannette a écarquillé les yeux, j'ai blêmi et, comme si de rien était, Colette l'a pris par le bras.

Angèle, les joues en feu, a articulé : « Christian DIOR ? » de ses lèvres muettes. J'ai haussé les épaules en secouant la tête. Tout cela me dépassait autant qu'elles.

Droites devant leurs tables, avec un port de tête que je ne leur connaissais pas, les couseuses se sont remises au travail. Le sourire aux lèvres, elles tendaient à M. Dior leur meilleur profil, comme si elles s'attendaient à ce qu'il les choisisse pour être ses nouvelles muses.

Tu te doutes bien, Liz, que mes couturières en avaient toutes entendu parler. Mieux : elles profitaient de leur temps libre pour coudre des robes « à la Dior » dont elles tentaient d'imiter les silhouettes cintrées, les bustes épanouis et les épaules douces. Ses robes *Corolle* et son tailleur *Bar* n'avaient aucun secret pour elles. À leurs yeux, cet homme dégarni et discret était un héros. Quelques années plus tôt, il avait bouleversé la mode. Rendu à la couture sa part de rêve. Ses robes invitaient les femmes à la séduction, au désir et au plaisir. Des valeurs auxquelles nous n'étions pas indifférentes.

Curieux, il a détaillé nos rouleaux de jute, nos machines à tresser, et le dé que chacune portait au creux de la paume. Puis son regard s'est de nouveau posé sur moi.

— Cet atelier est inattendu. Bravo pour la qualité de vos modèles ! Ils ont ce petit quelque chose de chic et de féminin que j'aime. On ne fera jamais assez l'éloge de la simplicité et du bon goût.

Et détaillant ma silhouette androgyne :

— Votre allure me plaît, a-t-il ajouté avec délicatesse.

Je l'ai remercié, étonnée. Mes hanches étroites, mon pantalon à pinces et ma poitrine plate n'avaient rien en commun avec les silhouettes à corset et à jupons qu'il affectionnait.

Il a tiré un calepin de la poche de son costume. Et méticuleusement s'est mis à crayonner.

Dans l'atelier, on retenait notre souffle. L'aiguille en suspens, les couturières ne bougeaient plus, conscientes d'être des privilégiées. Devant elles s'écrivait l'histoire de la mode.

Au bout d'un moment, il m'a tendu sa feuille de croquis.

— Sauriez-vous chausser ces silhouettes ?

J'ai détaillé les lignes raffinées. Les capelines. Les robes aux chevilles. Et ces nœuds énormes qui marquaient la taille. De grands sabliers longilignes.

— Je peux ? j'ai demandé en désignant son crayon.

À côté de ses esquisses, j'ai ébauché la cambrure d'une sandale, des rubans proéminents, des semelles extracompensées.

Son visage s'est illuminé.

Et ainsi deux heures durant nous avons enchaîné des dizaines de croquis réalisés à quatre mains. Je crayonnais, il renchérissait, j'inventais, il s'émerveillait. Dior était généreux, drôle, sensible et secret. Et parfaitement enthousiaste à l'idée d'inclure nos espadrilles dans son prochain défilé. Il présentait une nouvelle collection le 1er avril. Les modèles seraient vendus dans la foulée. Serions-nous capables de lui faire livrer à temps mille exemplaires de chaque modèle ? Notre prix serait le sien.

59

Sitôt que la voiture eut démarré, tout l'atelier a résonné de nos hurlements.

— Marlene Dietrich ! criait Colette, euphorique.

— Le défilé ! je rugissais, exaltée.

Les couturières sont montées sur les tables, nous nous sommes mises à danser, Colette a fait sauter les bouchons de champagne. Angèle et Jeannette n'en croyaient pas leurs yeux. Nos espadrilles signées par Dior ! Mlle Véra, Lupin et Bernadette n'ont pas tardé à nous rejoindre.

— Christiaaan Diooor ! hurlait Gédéon, complètement survolté.

Ce soir-là, nous avons éclusé l'équivalent de la production annuelle de Ruinart. L'atelier n'était plus que rires, cotillons et cris de joie.

Ce n'est qu'à une heure bien avancée de la nuit que Colette a lancé :

— Trois mois, quand même…

Avachies dans de larges fauteuils, épuisées par l'émotion, les couturières ne se départaient pas de leur sourire.

— Mesdemoiselles, j'ai soupiré, j'espère que vous n'avez pas prévu de dormir d'ici le retour du printemps.

Dès le lendemain matin, nous nous sommes mises au travail. Les modèles étaient complexes, Colette devrait faire des essais, former les plus jeunes. Dior nous ferait livrer les tissus ainsi que des étiquettes griffées. Tout devait être de la plus belle facture, jusqu'aux rubans en soie fine qu'il nous enverrait de Paris. Le temps était compté, rien ne devait être laissé au hasard. Nous entrions dans la cour des grands.

Les semaines suivantes, nous avons tressé, cousu, mesuré, découpé. Concentrées, déterminées à donner le meilleur de nous-mêmes. Je regrettais parfois l'absence de Don Quichotte et me surprenais à chercher le matou du regard, m'attendant à le trouver jouant avec les rubans. Sur le tourne-disque, à plein volume, les quarante-cinq tours de Big Joe Turner et de Ruth Brown. Lupin nous fournissait régulièrement en nouveautés venues des États-Unis. Pendant ces trois mois, le swing n'en finirait pas de pulser dans nos oreilles et nos aiguilles de transpercer le tissu en rythme.

Rangées délicatement dans du papier de soie et des boîtes en carton crème, les espadrilles s'empilaient. Nos dos étaient meurtris, nos yeux fatigués. Mlle Véra déplorait de ne plus nous voir que penchées sur nos aiguilles.

— Faites au moins une pause pour trinquer !

— Elles n'ont pas le temps, mademoiselle Véra ! la sermonnait Bernadette. Et puis on n'a pas envie qu'elles cousent de travers pour M'sieur Dior !

La cuisinière s'évertuait à nous préparer chaque jour tourtes et piperades, axoas de veau et gâteaux basques.

— Je ne sais pas si nous aurons terminé à temps, se lamentait Colette, mais ce qui est sûr c'est qu'en avril nous aurons pris dix kilos !

Bernadette ne voulait rien entendre.

— Mange donc, andouille ! Quand les gros seront maigres, les maigres seront morts !

Et elle montait le son du tourne-disque pour nous redonner un peu d'entrain et contrer le coup de massue qui nous venait après chacun des repas pantagruéliques qu'elle nous servait.

Sans la musique, nous ne tiendrions jamais les délais. Lupin s'était mis en tête de nous faire découvrir un nouveau courant musical qui enflammait l'Amérique : le rock and roll.

— Le roquaineraule ? j'ai demandé, toujours intriguée par l'étendue de ses connaissances.

— Certains disent que c'est la musique du diable. Bientôt, tu verras, plus personne ne pourra s'en passer.

Il a glissé un disque sous l'aiguille. Louis Jordan s'est mis au piano, accompagné d'une batterie et d'une trompette. Dans l'atelier, un drôle de swing teinté de jazz et de soul. Cette musique était tout simplement envoûtante. M'est revenu le déhanchement irrépressible qu'avait provoqué chez moi le charleston la première fois que je l'avais entendu. Le casino à Biarritz. Le cinq, la roulette, et les jetons qu'Henri avait déposés sur mon bureau un matin chez Guerrero.

Son visage restait tapi dans chaque recoin de ma mémoire.

60

Mi-février. Le froid engourdissait nos mains. Enroulées dans nos écharpes, les pieds dans des chaussons en laine, nous cousions avec une détermination sauvage. Toutes les couturières retenaient leur souffle. Plus un mot. Fronts plissés. Visages concentrés. Tandis que le tourne-disque continuait de jouer inlassablement, nous avions déjà abattu un travail de titan. Nous ne savions pas que c'était impossible, alors nous l'avons fait. Voilà qui résumait bien l'ambiance de cet hiver.

— Plus que six semaines, a lâché Colette un soir.

Ses traits étaient tirés mais l'excitation faisait briller ses yeux d'un éclat particulier.

— Si on maintient le rythme, on peut y arriver, j'ai répondu, plus optimiste que réellement confiante.

Colette a acquiescé.

Soudain, la porte s'est ouverte sur le visage rouge et transpirant de Bernadette.

— Colette ! Colette ! hurlait-elle. Bon Dieu ! Mais vous allez devenir sourdes avec cette musique de cinglés ! Vous n'entendez même plus le téléphone !

Voilà une demi-heure que Lupin essayait de nous joindre. Romy avait des contractions. Elle venait de perdre les eaux.

Blême, Colette a abandonné son aiguille et couru au chevet de sa fille. Le bébé avait plus d'un mois d'avance.

Dans la maison des Demoiselles, c'était l'effervescence. Le docteur Lamy venait d'arriver. Mlle Véra était d'une élégance inattendue, comme à chaque fois qu'il nous rendait visite. Elle prétendrait plus tard qu'elle s'était apprêtée pour l'arrivée du bébé. On ne voulait pas lui donner envie de repartir, non ?

Malgré la fatigue et l'appréhension, Romy rayonnait. Il lui tardait de rencontrer ce petit bonhomme !

— Un garçon ? a demandé Lupin en souriant.

— Oui ! s'est exclamé Marcel qui rêvait du partenaire de pelote basque que Bernadette n'avait jamais pu lui donner.

— Poussez ! Poussez ! criait Gédéon.

Mais le bébé n'était pas décidé à sortir. Nous avons attendu dans le salon. Longtemps. Inquiets. En nous rongeant les ongles. Sous la grande pendule, il n'était plus question d'espadrilles, de M. Dior ou de rock and roll. Toutes nos prières allaient vers Romy.

Et puis enfin il y a eu des cris, des encouragements, et au bout d'un moment le docteur Lamy est apparu dans le salon. Mlle Véra s'est redressée et a tiré sur sa robe.

— C'est une fille !

Hurlements de joie. Colette s'est ruée dans la chambre. A embrassé sa fille avec effusion. Sur son visage, des larmes. Romy a souri. Dans ses bras, une petite poupée au visage rose dévisageait sa mère avec de grands yeux étonnés. J'ai caressé ses doigts minuscules posés sur le drap blanc. Détaillé la délicatesse de ses lèvres, le rose perlé de ses ongles, ses cheveux sombres et fins. Cette enfant était la plus belle chose qu'il m'avait été donné de voir.

En moi, une tornade d'émotions, une avalanche de tendresse. Un amour si grand pour un être si petit, on ne m'avait pas prévenue.

Serrées les unes contre les autres, Colette, Bernadette et moi contemplions admiratives ce petit bout de monde qui s'apprêtait à révolutionner le nôtre. Trois fées bienveillantes. Émues et silencieuses.

— Comment tu vas l'appeler ? a demandé Mlle Thérèse au bout d'un moment.

Un prénom ? On n'y avait même pas pensé !

— Elizabeth, Charline, Claudette, a répondu la jeune rouquine en souriant. Mais vous pouvez l'appeler Liz.

61

Moins d'un mois avant le défilé. Plus la date approchait, plus nous désespérions de respecter les délais. Le dernier modèle était complexe. Une sandale compensée brodée de centaines de perles fines, de la semelle jusqu'au ruban. Les couturières accusaient la fatigue. Le tourne-disque ne semblait plus suffire.

— Un dernier effort ! les encourageais-je en tentant de garder les yeux ouverts.

L'aiguille courait entre la corde et le tissu dans un mouvement automatique. Mon cerveau avait démissionné.

Chez les Demoiselles, en revanche, Romy vivait les plus beaux jours de sa vie. Chaque biberon, chaque bain, chaque change était un émerveillement à chaque fois renouvelé. Les nuits hachées, les coliques, les seins douloureux, tous ces tracas de jeune maman glissaient sur elle comme de l'eau sur les plumes d'un canard. Rien ne semblait entamer son enthousiasme. Romy était euphorique. Mais comme à chaque fois, cela ne devait pas durer.

Nous étions si accaparées par l'atelier que nous n'avons pas vu son humeur se dégrader. Après trois semaines de félicité totale, ta mère, Liz, s'est mise à dépérir. La solitude des nuits blanches a grignoté sa joie de vivre.

Quelques jours après ta naissance, le père de Bernadette est tombé malade. La cuisinière a été appelée à son chevet. Romy devait assurer seule les tétées, jour et nuit, les lessives, et parfois même les repas. Les Demoiselles étaient âgées, Lupin et Marcel faisaient de leur mieux pour aider, mais Mlle Thérèse nécessitait des soins quotidiens et une vigilance de chaque instant. La vieille institutrice faiblissait de jour en jour. Son état nous inquiétait.

Un soir, Mlle Véra a téléphoné à l'atelier. Romy allait mal, il fallait venir. Est-ce que cela pouvait attendre une heure ? Nous avions du travail à finir et… Mlle Véra a insisté. D'un signe de tête, Jeannette et Angèle nous ont encouragées. Elles fermeraient l'atelier dès qu'elles auraient terminé. Reconnaissantes, nous avons attrapé nos manteaux et sauté dans la voiture. Dehors, la nuit était tombée. Un froid terrible, mordant.

À la maison, Romy était en pleine crise. Hystérique, elle hurlait à qui voulait l'entendre qu'elle allait fiche le camp. Elle n'en pouvait plus. Cernée, amaigrie, pâle comme un linge, elle jurait qu'elle mourrait si on ne la laissait pas dormir. Dans le berceau, tu pleurais. Tes cris la rendaient folle. Romy était épuisée. Plus que nous. Plus que n'importe qui. Ces premières semaines avaient eu raison d'elle.

Colette s'est précipitée pour la prendre dans ses bras tandis que je tentais de te consoler comme je pouvais. Tu avais faim, les seins gonflés de Romy perlaient de lait sous sa blouse.

— Je ne suis plus qu'une loque, un résidu de pisse et de vomi ! éructait-elle. Prenez-la ! Je n'en veux plus !

Elle tremblait, le regard fou. Colette était épouvantée.

— Je vais partir à Paris ! a crié Romy. Sans elle !

Stupeur. Tes pleurs ont redoublé. Mlle Véra a essayé de calmer ta mère. En vain.

— Mais faites-la taire, bordel ! a-t-elle hurlé.

Je t'ai prise dans mes bras. Ai glissé mon doigt dans ta bouche. Colette tentait de ramener Romy à la raison. Qui ne voulait rien entendre. Épuisée, à bout d'arguments, Colette a explosé.

— Tu ne peux pas essayer de te comporter en adulte pour une fois ? Tu es une mère maintenant ! Essaie d'en être digne !

Un silence. Dans mes bras, tu t'étais endormie.

— Digne ? a fait Romy, soudain étrangement calme.

Ta mère était malade, Liz. Tu le sais sans doute encore mieux que moi. Mais à l'époque personne ne mettait des mots sur le mal qui la rongeait.

Elle a éclaté d'un rire forcé, un rire d'aliénée.

— C'est toi qui parles de dignité ? Toi qui m'as privée de mon père ? Qui n'as même pas su le garder ?

Ses yeux se sont mis à briller.

— Ça aurait pu être nous, la famille parfaite, les quatre enfants, la villa en Suisse ! Mais non ! Tu as abandonné !

Colette était effarée.

— Je n'y suis pour rien si ton père nous a quittées, Romy, je…

— Si ! Tu abandonnes toujours ! Tu ne penses qu'à toi sans cesse ! Et moi ? Qui s'est soucié de ce que j'allais devenir ici ?

Elle hurlait, hystérique.

— Il a fallu que tu viennes te terrer dans ce trou ! Une fois de plus !

Colette ne savait plus quoi répondre, cette conversation n'avait plus ni queue ni tête. De quoi parlait-on ?

— Tu aurais dû te relever ! Demander des explications ! Mais non, tu as la trouille ! Tu n'as même pas reparlé à Véra depuis qu'on est rentrées !

Elle a essuyé la morve et les larmes sur sa manche.

— Romy…, a lâché Véra d'une voix faible.

Sur le visage de la vieille demoiselle, une lassitude terrible. Mais Romy n'avait pas terminé.

— Véra t'avait tout donné ! Tout Paris t'attendait ! Et t'as tout gâché !

Colette secouait la tête. Une larme a roulé sur sa joue.

— Vous me faites pitié, toutes autant que vous êtes ! a craché Romy. Derrière vos fêtes et vos bouchons de champagne, cette maison, c'est celle du désespoir ! Du sacrifice ! De la culpabilité ! Toi avec ta sœur ! a-t-elle crié en me pointant du doigt.

Thérèse avec la sienne ! À vous flageller sans arrêt d'avoir ruiné leurs vies ! Mais bon sang, ouvre les yeux, Rosa ! Ton travail de cinglée, ta vie de nonne, ça ne la ramènera pas !

Uppercut en plein ventre.

— Et toi ! a-t-elle ajouté à l'intention de la marquise. Sacrifiée pour Colette !

— Romy, a répété Véra, calme-toi, tu dis n'importe quoi. Tu ne sais pas ce qui s'est passé.

Regard sombre de Romy qui n'avait pas du tout l'intention de se calmer. Et encore moins de se taire.

— Dis-lui ! a-t-elle ordonné, glaciale.

Véra a baissé les yeux. Rongée par le secret, isolée par le mensonge, la vieille dame m'est soudain apparue dans toute sa fragilité.

— Dis-lui quoi ? a hurlé Colette.

Comment ta mère avait-elle su ? Elle était d'une intelligence hors du commun, Liz. Contrairement à moi, elle avait reconstitué le puzzle. Trouvé la pièce manquante.

— Véra, qu'est-ce que ça veut dire ? a demandé Colette, alarmée.

Un silence. Le regard de Colette qui va de Véra à Romy. De Romy à Véra. L'incompréhension.

Je ne comprenais plus rien moi-même. Me revenaient les déclarations d'Émilienne. Le mariage empêché. La Petite Corolle. Le départ. Qu'est-ce qui avait pu pousser Véra à parler au duc ? À détruire la vie de Colette ?

Tout ça ne faisait pas sens. Et je voyais au regard désespéré de mon amie qu'elle aussi était perdue.

Elle a saisi Véra par le bras. L'a secouée. La vieille demoiselle ne réagissait pas. Sur sa joue ridée, une larme.

— Parle ! a hurlé Colette.

Dans mes bras tu t'es remise à pleurer. Romy a poussé un cri de rage, maudit la terre entière. Elle allait foutre le feu à la baraque, tuer quelqu'un, elle le jurait ! Elle a attrapé son manteau et la porte d'entrée a claqué.

J'ai fait un geste pour la rattraper. Mais Lupin m'en a dissuadée. Il a murmuré quelques mots à l'oreille de Marcel. Le chauffeur balafré a disparu à son tour.

62

Dans le salon, un silence épais. Brisé par moments par le craquement du bois dans la cheminée. Face à la fenêtre, Mlle Véra, droite dans sa robe en velours sombre. Le regard perdu dans la nuit hivernale.

Par quoi commencer ? Trente ans qu'elle savait que ce jour viendrait. Trente ans qu'elle cherchait ses mots. Le jour était arrivé. Elle n'était pas préparée.

Mais Romy n'avait pas eu besoin que Mlle Véra parle pour comprendre ce qu'il y avait entre sa mère et elle. Ce qui les encombrait depuis toujours sans que la reine ait le courage de le nommer. Un amour prêt à tout. À sacrifier une carrière. À braver les regrets et les on-dit.

Un amour de mère en somme.

— J'avais vingt-huit ans quand tu es née, a finalement dit Mlle Véra d'une voix rauque.

Colette, immobile, refusait de comprendre. Était-ce à elle qu'elle s'adressait ?

Les épaules basses, la marquise semblait soudain très fragile.

— Non…, a murmuré Colette.

Un silence. Véra s'est tournée vers elle. Dans ses yeux, un chagrin insondable.

— Non ! a répété Colette.

J'ai pris sa main. Bouleversée.

— J'avais quinze ans quand je suis arrivée à Paris. Je n'avais pas un sou en poche, tout juste une adresse écrite sur un bout de papier. La dernière connue de ma mère. Une pension grise dans une ruelle sombre. La concierge a refusé de m'ouvrir. Je suis restée devant sa porte une journée entière. Le soir, elle m'a lâché le nom d'une maison close où on avait vu ma mère.

Assise dans un coin, une couverture sur les genoux, Mlle Thérèse l'écoutait. Bien sûr qu'elle connaissait l'histoire. Au creux de sa main ridée, un mouchoir froissé. Les yeux humides, la vieille institutrice souffrait de voir Véra soumise à cette confession douloureuse.

— Ma mère était morte. On m'a proposé de prendre sa place. Deux jours que je n'avais rien mangé. Mais j'ai refusé.

Elle a prononcé le mot du bout des lèvres. Derrière sa réserve habituelle transparaissait la jeune femme déterminée qu'elle avait été.

— J'ai trouvé une place de bonne. J'avais une chambre sous les toits, glaciale l'hiver, caniculaire l'été. Un travail d'esclave, mal payé, épuisant. C'est une autre fille qui m'a parlé d'un homme qui l'emmenait parfois au restaurant. Est-ce que j'avais envie de me joindre à eux ? Je n'étais pas dupe bien sûr, mais j'ai accepté. C'est comme ça que tout a commencé.

Colette tremblait. Dans ce petit salon perdu dans la nuit basque, Véra convoquait les souvenirs. Le gai Paris revivait. Un début de siècle de débauche, d'optimisme, de luxe et d'extravagance.

— Rapidement, j'ai compris qu'il fallait être exigeante. Ne pas dire oui au premier venu. Ne pas trop attendre des hommes non plus. Et soigner son apparence. Les sentiments fusionnels, la passion, les crises de jalousie, tout ça était à bannir. Je ne pouvais compter que sur moi-même. Peu à peu, je me suis constitué un carnet d'adresses. Mes clients étaient des aristocrates à la recherche d'un peu de plaisir. À la suite d'une soirée aux Ambassadeurs, un journaliste a fait mon portrait. Je venais du Sud-Ouest, terres de jurançon. Il m'a surnommée la marquise de la Vigne.

Le feu qui crépitait ne suffisait pas à réchauffer la pièce. J'ai frissonné, un doigt dans ta bouche.

— Un homme s'est mis à me solliciter régulièrement. Il m'a offert un appartement, une voiture, des bijoux. Il m'a présentée au propriétaire des Folies Bergère. C'était ma chance. Comme Romy, je rêvais d'être chanteuse. Cela avait pris du temps mais j'y étais.

Soudain, un courant d'air glacé. Emmitouflé dans un pull épais, Marcel est entré. Dans ses mains, une boîte de lait infantile et un biberon en verre. Je t'ai confiée à Lupin, il paraissait encore plus grand avec cette petite créature au creux des bras. Et il a disparu dans la cuisine.

— Les Folies Bergère cherchaient de nouveaux numéros susceptibles d'attirer les foules. J'étais mince et pas farouche. Un joli brin de voix. J'ai été engagée.

Colette ne quittait pas Véra des yeux. Pour la première fois, son visage froissé accusait les années.

— Mais mon salaire était maigre. Je dépendais toujours des hommes pour survivre. Et d'un en particulier. Le duc de Montaigu.

Coup d'œil à Colette qui s'est raidie. Mlle Véra s'est assise. Parler l'épuisait.

— Et puis on m'a nommée pour un solo. Deux spectacles par soir. Je n'osais pas y croire. Dix ans que j'attendais ! J'ai travaillé nuit et jour pour monter mon numéro. J'avais deux semaines pour faire mes preuves. Prouver au gérant des Folies que je pouvais remplir une salle. J'étais déterminée.

Un silence.

— Mais rapidement, j'ai compris que ma renommée ne tiendrait ni à mon talent ni à mon physique, mais aux feuilles de chou qui se faisaient l'écho de mes frasques. Les gens ne venaient pas voir une chanteuse. Ils venaient voir une cocotte sulfureuse, parée des bijoux que les plus grands lui offraient. Ils venaient disséquer de leurs yeux voyeurs celle que les riches pouvaient mettre dans leur lit. Je n'étais pas chanteuse, j'étais une bête curieuse.

Dans l'âtre, une bûche s'est effondrée.

— Que pouvais-je faire d'autre ? Rien. Alors j'ai continué à chanter, et après mes chansons je m'offrais aux plus fortunés. J'avais appris les codes, partageais leur langage. J'empochais de belles sommes, régalais la presse de toutes sortes d'aventures plus ou moins inventées. Et puis un matin, une douleur m'a saisie au ventre. Je suis tombée au sol, impossible de respirer. Mon corps s'est ouvert en deux.

Son regard s'est perdu vers la porte. Dans la cuisine, une main d'ébène tapait délicatement sur le dos d'un nouveau-né.

— Heureusement, Lupin venait d'entrer dans ma vie. Il a tout de suite compris ce qui m'arrivait. Il est allé chercher une sage-femme. Une heure après, tu étais née.

Colette a étouffé un sanglot. Mlle Véra s'est approchée d'elle et a pris sa main. Déterminée à poursuivre malgré l'émotion qui la gagnait.

— Je n'avais même pas soupçonné ton existence, Colette ! Et la vérité c'est que si je l'avais su, je ne t'aurais pas gardée. Avant toi, il y en avait eu deux autres. Ma dernière grossesse s'était terminée dans une infection si terrible que j'avais failli mourir. Le médecin avait été formel : je ne pourrais plus enfanter.

De toute évidence, il s'était trompé. Et le corps de Véra avait réussi à dissimuler cette grossesse jusqu'au bout.

— Je ne pouvais pas tout abandonner ! Je tenais enfin un numéro à moi seule. Je m'étais fait un nom. Mais je n'avais pas assez d'économies pour partir. De quoi aurions-nous pu vivre ? Je refusais de t'imposer la pauvreté dans laquelle j'avais grandi. Et je ne pouvais pas me permettre qu'un journaliste découvre que j'étais mère. La concurrence était rude. Paris faisait et défaisait les carrières en une nuit.

Dans ses yeux, une lueur sombre. Véra s'en voulait encore. Plus que jamais.

— Lupin s'est occupé de toi, mais rapidement il a fallu trouver une solution. Ce n'était pas une vie pour une enfant. Alors j'ai pris la seule décision qui s'imposait, je t'ai confiée à une nourrice. La plus chère, la plus douce, la plus attentionnée. En me promettant de revenir te chercher dès que j'aurais assez d'argent.

Colette pleurait en silence. Dehors, une sirène s'est élevée. Rivés aux lèvres de la marquise, nous n'osions pas parler.

— Les années ont passé. J'étais une parmi tant d'autres. Seule. Terrorisée à l'idée qu'on apprenne ton existence, meurtrie de ne pas te voir grandir.

Si Colette avait bénéficié de la protection et des conseils de Véra, la reine, elle, avait dû tout affronter seule. À demi-mot, la marquise nous rappelait que cette indépendance durement conquise avait un prix élevé. Renoncer à la stabilité, au conformisme, à la maternité, tout ça pour croquer un peu de ces fruits que l'on disait réservés aux hommes : la liberté et la réussite.

— J'ai découvert bien trop tard que la nourrice mentait. Elle avait besoin de toujours plus d'argent, et quand je demandais à te voir, c'était toujours elle qui t'amenait. La vérité, c'est qu'elle ne prenait pas soin de toi, et je ne l'ai compris que quand tu me l'as raconté.

J'imaginais Véra, seize ans plus tard, écoutant les récits de Colette sur son enfance misérable. Le chagrin et la rage contenus. La culpabilité aussi. Elle avait été en dessous de tout.

Me revenaient les confidences de Colette sur sa rencontre avec la marquise.

— J'avais perdu ta trace. Alors ce soir-là, dans ma loge, je n'ai pas compris tout de suite que c'était toi. Seul ton prénom m'était familier. Mais je n'osais pas y croire. Puis Lupin a fait des recherches. Tout concordait.

Au loin, une sirène à nouveau. Je ne quittais pas Colette des yeux. Je me suis approchée pour la prendre dans mes bras. Elle m'en a dissuadée. Le chagrin avait fait place à la colère.

— Pourquoi ? a-t-elle rugi soudain. Pourquoi tu ne m'as rien dit ? Tu en as eu l'occasion cent fois. J'étais adulte, je pouvais comprendre !

Ses yeux brillants, son corps contracté, ses poings serrés.

Véra a secoué la tête, défaite.

— J'avais peur… Je…

— Tu m'as abandonnée ! Tu vaux pas mieux que ta mère ! a hurlé Colette.

Lupin t'a posée dans ton berceau. Et s'est interposé.

— Arrête, Colette. Ta mère a fait de son mieux, j'étais là, je l'ai vu, a-t-il dit de sa voix grave.

— Tu savais ! Tu savais, toi aussi ! Et tu n'as rien dit ! Ah, ça, pour faire la morale, t'es toujours là ! Mais quand il s'agit d'appliquer à soi-même sa sagesse divine, y a plus personne ! Tu me dégoûtes, Lupin !

— Ça suffit ! a crié Mlle Thérèse de sa voix frêle. Colette, ta mère n'a clairement pas été à la hauteur, mais mets-toi à sa place ! Tu crois que c'est facile d'avouer à sa fille qu'on l'a abandonnée ?

J'imaginais Véra découvrant l'existence de Colette. Elle avait décidé de se taire. Pour un temps. Et de prendre la jeune fille sous son aile. C'était la seule manière de la protéger. De s'assurer qu'elle ne manquerait de rien, qu'elle serait préparée au métier. Les maladies, la police, la concurrence. Évidemment qu'elle était furieuse de voir que sa fille marchait dans ses pas. Mais à l'époque, l'indépendance des demi-mondaines en faisait rêver plus d'une. Qui pouvait reprocher à cette gamine sans le sou de vouloir à son tour gagner sa liberté ? Et puis si elle avait su que Véra était sa mère, aurait-elle accepté son aide ?

— Si tu savais le nombre de fois où j'ai failli te le dire, a murmuré Véra. Le jour où je t'ai invitée chez moi pour la première fois, c'était pour tout t'avouer. Mais je n'ai pas pu. J'étais terrorisée à l'idée de te perdre à nouveau. Que tu me juges. Comme j'avais jugé ma mère. Alors je me suis juré de tout faire pour te donner la vie que tu méritais. En me disant qu'un jour, quand j'aurais assez d'argent, je t'offrirais l'opportunité de devenir une femme libre. Une vie normale. Un foyer, une famille, un travail respectable.

Soudain, le visage de Colette s'est transformé. Horrifiée, elle comprenait.

— C'est pour ça que tu as parlé au duc, a-t-elle lâché d'une voix sourde. Tu as prétendu que j'étais malade, simplement pour me garder à tes côtés !

J'étais arrivée à la même conclusion. Mais ne pouvais pas y croire. Cela n'avait aucun sens. Pourtant, c'est ce qu'Émilienne avait rapporté.

— Non, ce n'est pas vrai, s'est défendue Véra. Je...

— Tu ne pouvais pas supporter que je m'en sorte mieux que toi ! Que je t'abandonne à mon tour ! a hurlé Colette.

Elle n'était plus que fureur.

— Non ! a crié Véra, hors d'elle. Tu n'as donc pas encore compris ?

Au loin, une sirène à nouveau. Marcel a levé la tête, inquiet.

— Le duc de Montaigu... le duc de Montaigu était dangereux.

63

La marquise avait rencontré le duc au début de sa carrière. Comme d'autres, il était tombé en adoration devant elle. Véra n'était pas belle, elle était époustouflante.

Patient, résolu, il lui avait fait la cour avec une délicatesse à laquelle la marquise n'était pas accoutumée. L'avait couverte de cadeaux, d'attentions et de compliments. Il lui jurait que personne d'autre n'existait pour lui. La portait aux nues. Quelle chance il avait eue de la rencontrer ! Comment une femme aussi intelligente et belle pouvait-elle exercer ce métier ? Elle méritait la gloire, la richesse et l'amour. Un modèle de courtisan, s'était dit Véra avant de céder à ses avances. Peu à peu, elle avait vu en lui non plus un client, mais un amant protecteur. Lui avait confié ses doutes, ses peurs. Il y avait chez lui quelque chose de magnétique et de flamboyant qui inspirait la confiance. La marquise, si indépendante de nature, était tombée amoureuse. Passionnément.

Puis, progressivement, le duc avait changé de visage. Il la rabaissait, l'humiliait, l'insultait. Elle s'y prenait mal. Avait grossi. Ne comprenait rien. Ne méritait pas ce qu'il faisait pour elle. Véra était perdue. Se pouvait-il qu'il ait raison ? Déstabilisée, elle doutait. Cet homme était intelligent. On vantait ses qualités. À trente ans à peine, il avait mis le monde à ses pieds. Il comptait parmi les plus riches, les plus influents. C'était elle le problème, pas lui.

Jusqu'au jour où elle était arrivée en retard à leur rendez-vous. D'y repenser, elle en avait encore des frissons. Il avait explosé. D'où venait-elle ? Comment pouvait-elle le faire attendre ? Valait-elle mieux que lui ? Pauvre sotte, inculte et sale ! Elle ne méritait même pas de finir sur un trottoir ! Qui pouvait encore croire à son numéro ? Les bijoux ? Les fourrures ? De la poudre aux yeux ! Oui, elle était sale, pourrie jusqu'à la moelle, un résidu de basse-fosse ! Il ne lui donnait pas longtemps avant que le monde s'en rende compte.

Elle avait pleuré, s'était excusée sans bien savoir de quoi, dégoûtée d'elle-même, redevable, contrite. Elle se sentait dériver dangereusement, incapable de parer les coups qui venaient de nulle part. Oh, bien sûr, la vie de cocotte n'était pas toujours rose ! Ce métier était dangereux et Véra avait eu son lot de fous et de maniaques. Mais le duc était différent. Sa violence ne disait pas son nom. Insidieuse. La faisant douter au point de ne plus savoir qui elle était. Démunie, isolée, elle n'envisageait pas de le quitter. Pourtant, une part d'elle lui intimait de se mettre à l'abri.

Alors elle s'était renseignée. Pour comprendre ce qui n'allait pas chez elle, pour savoir comment amadouer cet homme qui lui faisait perdre la tête. De confidences en secrets d'alcôve, les langues s'étaient déliées. Le duc était connu. Le duc était dangereux. On murmurait même qu'une de ses maîtresses s'était donné la mort.

Stupeur. Fallait-il y croire ?

Il était revenu quelques jours plus tard avec des billets d'opéra et un solitaire plus gros qu'un œuf. Des excuses, des mots doux. Véra avait hésité. Lui avait redonné une chance.

Ce soir-là, elle avait déployé tous ses talents. Tantôt ardente et coquine, tantôt soumise et sensuelle. Est-ce qu'il aimait ça ? En voulait-il davantage ? Le désir du duc était à son comble. Haletant, il suppliait qu'elle l'achève. Les joues rouges, le souffle court, elle l'avait fait parler. Ses anciennes maîtresses ? Toutes des traînées ! Elle les surpassait toutes. Les autres n'étaient que de la vermine. L'une d'elles avait eu son compte. D'y repenser, il avait joui. Sous son maquillage, Véra avait blêmi.

Que pouvait-elle contre lui ? s'était-elle demandé le lendemain. Le repousser ? Et si elle s'attirait sa colère ? S'il ruinait sa réputation auprès du gai Paris ? Elle s'estimerait déjà heureuse si elle arrivait à s'en défaire sans y laisser sa peau. Elle s'était retirée pour un temps, prétextant une maladie, le duc s'était montré impatient, elle avait tenu bon. Par chance, elle avait bientôt été remplacée par une autre. Bien sûr, elle avait tenté de la prévenir. En vain. Depuis, Véra était sur ses gardes. Elle avait retenu la leçon.

Jusqu'au jour où le duc avait posé ses yeux sur Colette. Il avait vieilli mais restait bel homme.

Comme attendu, il s'était montré courtois, prévenant, délicat, à l'écoute, prodigue en conseils envers la débutante qu'elle était. Colette ne ressemblait à aucune autre. Elle méritait mieux que cette vie-là ! Mais la belle blonde était joueuse et, malgré l'attrait que le duc exerçait sur elle, elle avait feint l'indifférence, imposant une distancc, échappant à ses griffes, ignorant ses avances.

Véra, qui gardait un œil sur sa protégée, l'avait mise en garde. Cet homme n'était pas pour elle. Certes il avait de l'argent, plus que n'importe qui, mais il fallait l'éviter. Absolument.

Colette avait haussé les épaules. Elle en avait vu d'autres ! Véra avait insisté. Il était capable du pire. Elle en avait la preuve. La blonde s'en amusait. Sourde à ses suppliques.

Le duc quant à lui ne manquait pas d'intelligence.

— La jalousie rend laide, avait-il dit un soir en jetant un œil à Véra.

De l'autre côté de la table, la marquise les observait, inquiète. Autour d'eux, l'ambiance battait son plein. On s'était retrouvés chez Maxim's. Colette rayonnait, déjà conquise.

— C'est terrible de vieillir, avait-il ajouté. Surtout à l'ombre d'une aussi belle femme que toi. Tu l'as détrônée, ma beauté, tu le sais, n'est-ce pas ? Prépare-toi au pire quand elle s'en rendra compte.

Le lendemain, quand le duc l'avait demandée en mariage, Colette ne s'était pas étonnée de la réaction de Véra.

— Écoute-moi ! avait imploré la marquise pour la centième fois.

Colette avait balayé ses suppliques.

— Nous sommes différentes, Véra ! Moi, je n'ai pas l'intention de finir seule. Je l'aime, il m'aime. Si tu m'aimes aussi, ne gâche pas tout.

— Colette, ouvre les yeux ! Aujourd'hui il t'encense, demain il aura ta peau ! Marie-toi si tu veux, mais pas avec lui !

— Arrête ! Tu as eu ta chance et tu l'as laissée passer. Je n'y suis pour rien !

Véra était à bout. Comment faire pour qu'elle entende ?

— Ça n'a rien à voir avec ça !

— Tais-toi ! avait hurlé Colette. Tais-toi ! Regarde-toi ! Tu es jalouse. Aigrie et jalouse !

Ce jour-là, le monde de Véra s'était effondré. Le duc avait réussi à les séparer. Colette était intelligente mais vulnérable. Une fois qu'il l'aurait épousée, il l'anéantirait, Véra en était persuadée.

Alors elle avait pris la décision qui s'imposait. Faire en sorte que Colette n'entende plus jamais parler de lui.

Depuis quelques années, la marquise s'était adjoint les services d'un homme qui veillait sur elle. Marcel. Discret, efficace. Il avait rendu visite au duc dans son hôtel particulier, avait su se montrer convaincant. Le vieux beau n'avait pas résisté longtemps. S'était fendu d'une lettre à Colette dans laquelle il retirait sa demande. Il s'était trompé. En avait rencontré une autre. Avant de partir, Marcel avait insisté. Mieux valait qu'il laisse la blonde en paix. À genoux, tremblant, le duc avait juré. Mais la menace n'aurait qu'un temps.

La missive avait fait son effet sur la jeune femme. Bien plus que la marquise ne se l'était imaginé. Fragile, pas encore habituée à la violence de ce Paris aussi gai que cruel, Colette avait sombré. Malgré tous les efforts de Véra, le duc allait gagner. Même à distance, il la tenait encore dans sa main. Il fallait fuir la capitale. Pour sauver Colette d'elle-même comme des griffes du vieux pervers qui n'en avait certainement pas fini avec elle. Mais où aller ? Le plus loin possible. Près de la frontière espagnole. Au cœur d'un bout du monde qui allait devenir le leur. Là-bas, elles referaient leur vie, oublieraient le passé et imagineraient un avenir. Véra avait de l'argent. Suffisamment pour offrir enfin à sa fille une nouvelle existence.

Elle avait écrit à sa sœur. Sans détour, elle lui avait tout avoué. La naissance, la nourrice, les Folies Bergère, Lupin, le duc, le désespoir de sa fille. L'institutrice n'avait pas tardé à répondre. Elle avait trouvé une maison. Elle les attendait.

Ainsi, un matin frileux de février, Colette et Mlle Véra avaient mis les voiles.

Mais Paris n'aimait pas les secrets. Les mauvaises langues avaient cherché à expliquer le départ de la marquise et de sa protégée, elle qui était pourtant promise à un si brillant avenir. J'ai revu le visage d'Émilienne. Sa longue silhouette chevaline. La méchanceté qui durcissait ses traits. Ce soir-là, avait-elle prêché le faux pour connaître le vrai ? On ne le saura jamais.

Dans le salon, le tourne-disque s'était arrêté et personne n'avait le courage de le relancer. Assise dans une bergère, le dos voûté, Mlle Véra n'était plus que l'ombre d'elle-même. Sa confession l'avait épuisée. Elle n'avait pas la force de regarder sa fille. Résignée, elle attendait qu'on la juge, qu'on la condamne, qu'on l'immole. Bien sûr qu'elle l'avait sauvée. Mais sans lui dire toute la vérité.

Recroquevillée sur la méridienne, Colette pleurait.

— J'ai tout fait pour te mettre en garde, mais tu ne m'as pas entendue, déplorait la marquise.

Elle avait fait de son mieux. Mais ce n'était pas assez.

— Je comprendrais que tu ne puisses pas me pardonner, a-t-elle murmuré. Mais sache que je n'ai jamais cessé de t'aimer.

Elle s'est penchée pour enlacer sa fille. Colette a poussé un gémissement douloureux. En elle pleurait l'enfant qu'on n'avait jamais bercée.

Soudain Marcel est entré, affolé.

— Rosa, il faut que tu viennes ! Il est arrivé quelque chose !

64

Les flammes étaient visibles depuis le jardin. À Mauléon, un incendie faisait rage.

Ce n'était pas possible. Est-ce que… *L'atelier ?*

L'instant d'après, Marcel avait démarré.

Au fur et à mesure que nous approchions, la fumée se faisait de plus en plus épaisse. Une fumée âcre, nourrie par un brasier de plusieurs mètres de haut. Une fournaise. Un carnage.

L'atelier brûlait.

J'ai bondi de la voiture. Couru jusqu'à la porte. Des hommes en uniforme m'ont saisie par le bras.

— Angèle ! Jeannette ! Des femmes sont à l'intérieur ! Laissez-moi y aller !

J'étais à moins de trois mètres de l'entrée. Déjà j'étouffais, ma gorge saisie par les gaz.

— Angèle ! Simone ! Augustine !

Je pleurais, luttant contre ces bras qui me retenaient. Les espadrilles pouvaient brûler, mais ces filles étaient ma famille.

Soudain, des femmes ont accouru vers moi. Arlette, Augustine, Marguerite, Simone. Les cheveux pleins de cendres. En larmes. Derrière elles, Angèle et Jeannette. Dévastées mais vivantes.

J'ai bondi vers elles. Les ai serrées dans mes bras à les étouffer. Devant les flammes, ce petit groupe de femmes était tout ce qui me restait.

Une poutre s'est effondrée dans un fracas terrible. Nous avons sursauté. Comme nous, la ville assistait au désastre, alarmée. Les pompiers accouraient des communes alentour pour prêter secours. Mais leurs tuyaux semblaient dérisoires face à la violence des flammes voraces, gourmandes de tresse et de jute. L'espadrille, un combustible idéal.

— À moi ! a soudain crié un homme. Qu'on aille chercher des seaux et des baquets !

Des dizaines de Mauléonais se sont précipités pour lui prêter main-forte. Hommes, femmes, adolescents. Une longue chaîne s'est formée jusqu'à la rivière. On criait pour se donner du courage. Mon cœur s'est serré.

Les Demoiselles et moi ne nous étions jamais vraiment intégrées à la vie du village. À l'écart du centre-ville, notre atelier comme un îlot protégeait les couseuses et gardait jalousement leurs secrets. Des rumeurs avaient circulé. Le curé voyait d'un mauvais œil ces femmes qui avaient choisi de vivre dans le péché. Mais dans le drame qui se jouait, on nous soutenait. Je m'en rendais compte tout à coup.

Les pompiers continuaient d'arriver, toutes sirènes hurlantes. Peu à peu, on a commencé à maîtriser les flammes. À défaut d'être éteint, l'incendie ne progressait plus.

Colette et Lupin n'ont pas tardé à me rejoindre. Horrifiés. Hypnotisés par le feu. Muets.

Les heures ont passé. Ce n'est qu'au petit matin que les pompiers en sont venus à bout. L'atelier était détruit. Seul l'arrière du bâtiment avait échappé aux flammes. Maigre consolation.

Des gendarmes nous ont interrogées. De toute évidence, l'incendie était criminel. Avions-nous une idée de qui pourrait en être l'auteur ? Les mots me parvenaient de loin, dans un brouillard. *Incendie. Criminel.*

J'étais hébétée. Incapable d'articuler le moindre son.

Le choc serait encore plus terrible en plein jour.

Le soleil s'est levé. Éclairant les cendres, les semelles déformées, les squelettes des machines.

Tout était perdu. La commande Dior, les stocks prêts pour les Amériques, les matières premières. Trois mois de travail. Dix ans d'espoirs. Il ne restait plus rien.

65

Quelques heures plus tard, assises dans le salon des Demoiselles, nos vêtements couverts de cendres, Colette et moi n'étions plus que l'ombre de nous-mêmes.

Tout se mélangeait. La confession de Véra, terrible, brûlante. Et le feu dévorant l'atelier.

Lupin nous a préparé une décoction d'herbes pour nous permettre de dormir un peu. J'ai refusé. Je ne voulais pas fermer les yeux. Sur mes rétines, les flammes sanguines. Dans ma tête, la question des gendarmes tournait en boucle : « Avez-vous une idée de qui pourrait en être l'auteur ? »

Je n'osais pas prononcer son nom. Elle avait disparu. Juré de tuer quelqu'un. De *foutre le feu à la baraque* !

Pas elle. Impossible. Elle était malade, mais elle nous aimait.

Mais alors qui ?

Je devenais folle. Tournais dans le salon comme un lion en cage. Si j'attrapais celui qui avait fait ça !

Ou celle, me soufflait une voix malintentionnée.

Les jours suivants n'ont été qu'un brouillard de chagrin et de désespoir. Il fallait prévenir le couturier. Appeler nos acheteurs aux Amériques. Essayer de sauver ce qui pouvait l'être encore. Mais où trouver la force ? J'étais anéantie.

Quand un soir on a toqué à la porte.

— Rosa ! a appelé Lupin.

J'ai bondi. C'étaient sûrement les gendarmes. Ils devaient connaître le nom du coupable. J'ai serré les poings. La vengeance m'obsédait.

Mais derrière la porte, des femmes. Une dizaine au bas mot. Jeunes pour la plupart.

L'une d'elles s'est approchée. Cheveux poivre et sel. Yeux sombres.

Carmen.

Comme tout le monde à Mauléon, Carmen avait assisté au drame. Avait été ébranlée par les flammes, les larmes de ces femmes serrées les unes contre les autres. L'atelier, c'était tout ce qu'elles avaient. Ce qui leur avait permis de se remettre debout. Dans le brasier, c'était aussi la vie de sa fille qui partait en fumée.

Et voilà que Carmen était là, sur le seuil de la maison des Demoiselles. Carmen ici, c'étaient deux mondes qui entraient en collision.

Était-elle venue me présenter ses condoléances ? Pire, me proposer un travail chez Guerrero ?

— Je ne veux pas de ta pitié, j'ai lâché, mauvaise.

Carmen m'a regardée, mâchoire serrée, puis elle m'a tendu un trousseau de clefs.

— L'atelier Guerrero est à toi pour trois semaines. De sept heures du soir à sept heures du matin. Et le dimanche toute la journée.

Je ne comprenais pas. Et Guerrero ? Et Sancho ?

— L'usine tourne sans le patron. Quant à l'autre, il ne risque pas de venir nous déranger.

L'autre. Carmen refusait même de prononcer son nom.

— Combien de temps vous reste-t-il ? a-t-elle demandé.

Angèle s'est approchée.

— Vingt jours.

Carmen a hoché la tête, le visage fermé, dur. Pourtant dans ses yeux brillait une lueur de bienveillance. Pouvais-je lui faire confiance ?

— Nous sommes vingt et je peux trouver quinze filles de plus chez Beguerie. Dix autres chez Lasserre.

J'en étais bouche bée. Carmen mettait à ma disposition une usine ? Des couseuses ? Des machines ? Je n'osais y croire. Était-ce réel ?

Pourtant, l'idée était bonne. Tout n'était peut-être pas perdu.

Je m'apprêtais à la remercier quand elle a lâché :

— Il n'y a pas de temps à perdre.

66

Le lendemain soir, près d'une cinquantaine de volontaires étaient alignées dans la cour de l'usine Guerrero, prêtes à recevoir nos instructions. Elles avaient à cœur d'aider. Toutes avaient entendu parler de M. Dior. Et je m'étais engagée à leur payer généreusement chaque heure passée sur la commande.

Colette n'a pas mis longtemps à se faire à ses nouvelles responsabilités. Elle a réparti les couseuses en cinq groupes. Placé à la tête de chacun une couturière de notre atelier, déjà formée, chargée de superviser les nouvelles.

J'avais appelé le couturier pour l'informer. Oui, la commande avait été détruite. Non, nous n'abandonnions pas. Oui, il pouvait compter sur nous s'il nous faisait parvenir au plus vite une copie des croquis. Et du tissu. L'équipe parisienne a été efficace. Le lendemain de mon coup de téléphone, un train entrait en gare de Mauléon chargé de coton, de soie, de perles, de fil et de rubans. Deux jours plus tard, nous commencions à coudre.

Il nous restait moins de trois semaines. Et uniquement des soirées. Les dimanches et une partie de la nuit pour les plus courageuses. L'usine devait continuer à tourner pour assurer ses propres commandes. Colette doutait, je le sentais. Il nous avait fallu plus de trois mois pour préparer les deux tiers de la commande. Les filles ne pouvaient nous donner que quelques heures par jour. Et encore fallait-il qu'elles soient aussi rapides que nos couturières. Mais je voulais y croire. J'avais besoin d'y croire. De me dire que toute une vie ne pouvait partir en fumée. Tant d'espoir, de rêves. Non, nous devions y arriver. Supervisées par Carmen, encouragées par Colette, tout était possible. Bernadette ferait du café, Gédéon chanterait. Et la journée, nous pouvions coudre chez les Demoiselles, installées au grenier avec Jeannette, Angèle et les autres.

Ce serait juste, mais il fallait essayer.

Pendant des jours, les couseuses ont sacrifié leurs dîners en famille, leur sommeil. Jeannette avait eu l'idée de mobiliser les anciennes du village. Au coin du feu, elles faisaient du bout et du talon depuis des générations. Elles pouvaient aider pour les ouvrages de base, ça nous avancerait.

Cette commande s'est peu à peu transformée en œuvre collective. Chacun y allait de son coup de main. Les collègues du mari de Jeannette faisaient tourner les machines à tresser. Nourri par Bernadette, charmé par Colette, encouragé par la musique qui résonnait dans le hangar à toute heure de la nuit, tout ce petit monde travaillait d'arrache-pied. Le couturier parisien donnait aux Mauléonais l'occasion de montrer leur savoir-faire. De faire rayonner l'âme du vieux pays euskarien. Pour la patrie basque, tous les cœurs battaient à l'unisson.

Quand les pompiers m'ont enfin autorisée à entrer dans l'atelier, j'ai fermé les yeux un instant par peur de ce que j'allais découvrir. La gorge serrée, j'étais déterminée à ne pas pleurer. Un rayon de soleil filtrait par une fenêtre cassée. Tout n'était plus que cendres. Je ne pouvais m'empêcher de voir dans ces débris une image de ma vie sentimentale. Un champ de ruines. Il avait suffi d'une nuit.

Sur le mur du fond, la fresque bleue avait résisté à l'incendie. Les hirondelles avaient noirci, mais elles avaient tenu bon. Il m'a semblé apercevoir la silhouette de ma sœur dans ces oiseaux rescapés du naufrage. Entendre son rire résonner en écho dans les décombres.

À l'étage, sous les combles, la bibliothèque de Mlle Thérèse était recouverte de suie mais intacte. Sagan et Beauvoir avaient échappé aux flammes. Dans la pièce voisine, posées sur les étagères dans leurs boîtes couleur crème, trois cents paires d'espadrilles patientaient, piquées de perles de la semelle au ruban. Ce n'était pas grand-chose au regard de tout ce qui avait brûlé autour. Mais j'y ai vu un signe.

67

Au matin du vingtième jour, les yeux étaient cernés, Gédéon ne tenait plus debout, les couturières étaient devenues expertes en chansons paillardes, mais la commande était prête. À onze heures, une locomotive fumante s'est mise en route pour Paris. Dans ses wagons, cinq mille paires haute couture, réalisées à la main en un temps record.

Nous y étions arrivées, Liz ! Et la vieille dame que je suis devenue a encore du mal à y croire.

J'ai envoyé les couturières se reposer, remercié les anciennes du village qui avaient à cette occasion retrouvé une seconde jeunesse. Promis de les tenir au courant. Nous recevrions bientôt des nouvelles de M. Dior. Avec lui, notre travail était entre de bonnes mains.

Après que nous eûmes fêté ça avec force bouteilles de champagne et plateaux de fruits de mer, l'heure était maintenant à la reconstruction.

Les gendarmes n'avaient toujours aucune piste concernant l'auteur de l'incendie. Les Demoiselles et moi-même nous étions bien gardées de mentionner Romy. Mais depuis la nuit du drame, ta mère n'était pas revenue. Lupin prenait soin de toi. Colette et moi l'aidions dès que nous pouvions. Tout cela nous inquiétait, mais nous avions assez à penser avec l'atelier. Trouver le coupable ne nous ramènerait ni nos stocks ni nos machines.

Seule au milieu des décombres, je faisais la liste de tout ce qu'il fallait remettre sur pied. Les commandes continuaient d'affluer d'Amérique. Nous pouvions en assurer une partie depuis le grenier des Demoiselles, mais nous étions loin du compte. Tout était à faire. Par quoi commencer ?

Soudain, un bruit de pas.

Une silhouette est apparue au milieu de ce qui restait du hangar.

Carmen.

Son visage était marqué. Elle non plus ne s'était pas ménagée ces dernières semaines. Cousant sans relâche jusqu'à une heure avancée de la nuit. Concentrée et silencieuse.

Elle avait à peine quarante ans, mais en paraissait quinze de plus. Son dos voûté, ses lèvres serrées. Seul son regard gardait l'intensité de sa jeunesse.

Sans dire un mot, elle m'a tendu une large pochette remplie de dessins.

— C'est à toi, je crois.

J'ai reconnu l'enveloppe cartonnée que j'avais dû abandonner chez Guerrero le lendemain du jour où j'avais crevé l'œil de Sancho. À l'intérieur, mes premières années à Mauléon m'ont sauté au visage. Des croquis maladroits, enfantins. Colorés, farfelus. Certains plus aboutis. La paire compensée à plumes qui avait plu au patron. Celle avec des moustaches, inspirée de Don Quichotte. Une paire rose avec un groin brodé sur l'empeigne que je destinais à Jeannette. À travers ces dessins, c'était un peu Colette et nos fous rires d'adolescentes qui me revenaient. Mais aussi la jeune hirondelle que j'avais été.

J'ai réfréné l'émotion qui affleurait sous mes paupières.

— Carmen…, j'ai murmuré.

Ces dernières semaines, à la faveur de notre travail nocturne, l'hirondelle et moi avions eu l'occasion de parler. Elle de s'excuser, moi de pardonner. Elle me remerciait d'avoir pris soin d'Angèle. D'avoir offert à sa fille la liberté dont elle avait été privée. La pauvre femme avait vécu un enfer aux côtés de Sancho.

— Tout ça, c'est terminé maintenant, a-t-elle dit.

Je l'ai regardée sans comprendre.

— Il nous emmerdera plus.

Un silence. Quelque chose dans son regard a fait courir un frisson sur ma nuque.

— L'incendie…, a-t-elle lâché.

Où voulait-elle en venir ?

J'ai jeté un œil autour de moi. Les cendres. Les décombres. Ma vie dévastée. Sancho avait mis le feu à l'atelier ?

Carmen a hoché la tête. Abattue. Résignée. Elle hésitait. Cherchait ses mots.

— Il y a eu une dispute. Une de plus. Une de trop. Je lui ai dit que j'allais partir. Retrouver Angèle. Quitter Guerrero. Et…

Elle a soupiré.

— Te proposer mon aide.

Un silence.

— En entendant ton nom, il est devenu fou. Il a dit qu'Angèle n'était qu'une prostituée comme toutes celles qui travaillaient là-bas. Qu'elles méritaient de finir en enfer… Il est revenu une heure plus tard, il puait l'essence. Dans son œil, une lueur folle.

Elle a levé les yeux vers moi. J'étais abasourdie.

Sancho avait mis le feu à l'atelier ! Sans même vérifier s'il restait des couturières à l'intérieur. Jeannette, Simone, Angèle. *Sa fille.* Il aurait pu y avoir des victimes. Cet homme était fou à lier.

— Ce n'est que quand les pompiers ont commencé à arriver que j'ai compris, a poursuivi Carmen. Il était trop tard. Les flammes étaient déjà visibles depuis l'église.

Malgré l'horreur de son récit, j'étais soulagée : Romy n'y était donc pour rien !

Le visage de Carmen s'est fermé et sa voix s'est faite plus sourde :

— Je suis sortie au moment où Marcel se garait devant la maison.

Marcel ? Que venait-il faire dans cette histoire ?

Je me suis remémoré la soirée du drame. Nous étions tous autour de la cheminée, Mlle Véra parlait et… Marcel était sorti. Deux fois. D'abord pour acheter du lait en poudre. Ensuite… Avait-il croisé Sancho en ville ?

— *Esta guarra, hijo de…*

Carmen a craché par terre. Sancho était obsédé par notre atelier.

— « L'Espagnole boiteuse est un soldat du diable ! qu'il criait. Les sorcières au bûcher ! »

Je n'arrivais pas à y croire. Marcel avait forcément eu vent des menaces du vieil ivrogne. Et en voyant les flammes, il avait compris.

J'attendais que Carmen poursuive. Mais elle n'en dirait pas plus.

Sancho ne reviendrait pas.

68

De Romy, pas le moindre signe de vie non plus.

Ce n'est qu'à l'approche de l'été que nous avons reçu de ses nouvelles. Un courrier tout en points d'exclamation qui laissait imaginer son euphorie. Ta mère avait retrouvé sa liberté et donnait corps à ses rêves. Elle avait rencontré un homme. Un agent de stars. Il disait qu'elle avait du talent. Qu'il allait l'aider à se faire un nom. Elle prenait des cours. Le soir, il l'emmenait au restaurant. La Ville lumière ! Existait-il un endroit plus beau sur terre ? Elle avait dîné la veille dans un restaurant formidable ! Elle avait bu beaucoup de champagne et avait pensé à nous. Espérait que la petite allait bien. « Dites à Liz que sa mère l'aime fort ! Plus encore que la musique, et plus encore que Paris. »

J'ai gardé toutes ses cartes, toutes ses lettres. Je les relis parfois en me demandant ce que nous aurions dû faire. La rejoindre ? La forcer à revenir ? Elle était malade, Liz, et nous l'aimions trop pour briser ses rêves.

Pendant ce temps-là, tu grandissais. Adorable petite poupée brune aux yeux verts. Lupin, Colette,

Mlle Thérèse, Mlle Véra, moi, nous prenions tous soin de toi. Pour nous, excepté ta grand-mère, c'était la première fois. Aucun n'avait eu la chance de voir grandir un enfant. Nous apprenions avec toi. Les gestes, les repas, les chagrins. À nos yeux, tu étais la huitième merveille du monde. Tu passais de bras en bras, poussais des cris de joie quand Lupin te prenait sur ses épaules, Gédéon t'apprenait des chansons, Mlle Thérèse te lisait des poèmes. Tout ce petit monde s'émerveillait de tes progrès. Une nouvelle dent, un premier pas, un premier mot. Bernadette avait fait de toi son sous-chef. Entre deux remontrances à Marcel qui plongeait ses doigts dans la casserole, tu t'initiais à la confection du gâteau basque. Est-ce de ces après-midi passés avec elle que t'est venu l'amour de la cuisine ? J'ai envie d'y croire.

Colette et moi t'emmenions parfois à l'atelier. Une bâtisse deux fois plus grande que celle qui avait brûlé. Et qui emploierait dans les meilleures années jusqu'à une centaine de couturières. Le succès ne se démentait pas.

La collection pour Dior avait été un triomphe. Les modèles s'étaient arrachés en quelques semaines. *Vogue*, *Elle*, *Harper's Bazaar*, tous s'étaient émerveillés devant les espadrilles de M. Dior qui ne manquait pas de faire notre éloge. Ces espadrilles étaient faites à la main au Pays basque, dans l'atelier des Hirondelles !

Les commandes françaises ont rapidement dépassé les commandes américaines. Les stars s'arrachaient nos créations, Grace Kelly et Brigitte Bardot en tête.

Quand M. Dior est décédé, notre renommée était faite. Je n'oublierai jamais cet homme, Liz. Et ses successeurs ne nous oublieraient pas non plus. Bientôt, un autre couturier nous solliciterait pour l'un de ses défilés haute couture. Un grand monsieur qui insistait pour que je l'appelle Yves mais que tu connais sous le nom de Saint Laurent.

La commande de M. Dior avait enfin éveillé l'intérêt de la presse. Trois jours après le défilé, *La République des Pyrénées* faisait un article sur moi, illustré d'une photo. J'avais vieilli sous mon canotier à cerises, mais j'étais encore belle.

Les années ont passé. Tu grandissais au milieu des rubans, des semelles, des perles et des bouchons de champagne. Mascotte des couturières, enfant chérie des Demoiselles, tu réclamais toujours ma présence. Accrochée à mes bras, cachée dans mes jambes, tu ne pouvais t'endormir qu'en me tenant le doigt. Chaque soir, je me blottissais près de toi. L'heure du coucher était notre rendez-vous. Je ne l'aurais raté pour rien au monde. Ta main dans la mienne, j'écoutais ton souffle ralentir. Je respirais tes cheveux. Je restais parfois jusque tard dans la nuit, incapable de quitter tes bras.

Tu inventais des contes que j'illustrais pour toi. Des histoires de dragons gourmands, de monstres fragiles, de sirènes enchanteresses. Tu étais d'une curiosité sans limite. Une question en appelait toujours une autre.

— Paloma, c'est quoi le nombril ?

— Le souvenir de maman.

— À quoi servent les étoiles ?
— À nous montrer d'où l'on vient.
— Et la poésie ?
— À chanter sans un bruit.
— Et la musique ?
— À faire danser les émotions.
— C'est quoi l'amitié ?
— Des retrouvailles d'une vie d'avant.
— Et l'amour ?
— Le cœur qui crépite.

69

Tu venais d'avoir trois ans. Tu adorais les animaux. Les chiens, les chats, les oiseaux. Les ours, les renards, les fourmis. Et plus encore les brebis.

Alors, chaque dimanche, je t'emmenais dans la montagne. Je glissais un bottin sous tes fesses, un chapeau sur ta tête, et au volant de mon cabriolet je prenais la route. Les cheveux au vent, tu semais tes éclats de rire parmi les pâturages.

Nous allions passer l'après-midi chez ce vieux Basque que m'avait présenté Henri. L'été, le berger suivait son troupeau aux estives. Les bêtes paissaient entre ciel et terre, au milieu du brouillard ou sous les rayons du soleil, dans des dégradés de vert qui couraient jusqu'aux sommets.

— Bi ! Bi ! tu criais dès que tu apercevais les têtes noires plongées dans l'herbe.

Dans sa cabane, le Basque continuait à fabriquer ses fromages. Un abri rustique en pierres épaisses. À l'intérieur, un feu de bois, trois tabourets aux pieds usés par le temps. Et le gros patou, le museau posé sur ses pattes.

Je saluais le vieil homme, il hochait la tête, ses épaules voûtées sous son pull élimé. En silence, je l'observais verser le lait dans le chaudron. Brasser la préparation. La rouler en une boule compacte dans la moiteur du petit-lait. La glisser dans un linge. Marquer la croûte d'un triangle. La saler. Et l'oublier pendant quelques mois. Jusqu'à ce qu'elle prenne cette belle couleur orangée et ces arômes incomparables.

Pendant ce temps-là, tu courais après les manechs. Les enlaçais comme des peluches, émerveillée de leur douceur après la tonte. Les brebis laitières semblaient s'accommoder de tes gestes maladroits. Le vieux berger hochait la tête, amusé. Découpait de son canif un bout de tomme. Te le tendait de ses doigts déformés par l'âge.

Tu raffolais de ce fromage, Liz. Est-ce encore le cas ? Est-ce que des souvenirs te reviennent quand tu poses un peu d'ossau sur ta langue ? Il se dit que le goût et l'odorat sont les piliers de la mémoire. Mon visage t'apparaît-il parfois ?

Je me souviens de ton rire comme si c'était hier.

Et puis un jour d'été, nous sommes retournées saluer le vieux Basque et ses brebis. Les bêtes étaient regroupées à un mètre de là, au milieu des roches. Tu t'es empressée de les rejoindre. J'avais apporté pour mon berger une bouteille de vin et une paire d'espadrilles.

— Salut, Bixente ! j'ai lancé en entrant dans la petite pièce sombre. Je t'ai rapporté des…

Stupeur. À ses pieds, les traditionnelles sandales en corde avaient disparu. Remplacées par quoi, Liz ? Je te le donne en mille ! Par des Pataugas !

J'ai levé la tête, atterrée.

Il était là. N'avait pas changé. Son front large était un peu plus marqué, mais ses yeux bleu marine et son sourire de travers étaient tels que je les avais connus. Un dandy avec ce je-ne-sais-quoi d'à la fois rusé et bancal qui m'a arraché un cri de stupeur.

Henri.

Dans la cabane, un silence. Ça sentait le feu de bois, la terre et le lait.

Il a détaillé mon canotier à cerises d'un air amusé. Mon cœur battait à tout rompre. Les joues rouges, j'étais incapable d'aligner trois mots.

Le vieux Basque a saisi son bâton, son béret, et il est sorti, le chien sur ses talons. Il vivait seul, mais ça ne l'empêchait pas de comprendre les hommes mieux qu'ils ne se comprenaient eux-mêmes.

— Salut, Rosa, a dit Henri d'une voix calme.

— Bonjour…

Un silence. Le bruit des cloches autour du cou des brebis. Une mouche grésillant devant la fenêtre.

— Félicitations pour le défilé, a-t-il lâché.

J'ai haussé les épaules.

— Félicitations à toi, j'ai murmuré du bout des lèvres. « Votre marque Pataugas est connue partout ! » j'ai ajouté d'une voix nasillarde en imitant le général de Gaulle.

Il a éclaté de rire.

— Il fallait bien un général pour attirer ton attention ! s'est-il exclamé.

Attirer mon attention ?

— Si tu savais ce que j'ai dû faire pour convaincre ce journaliste de faire mon portrait dans la *République* ! J'étais vert d'apprendre que le tien ne t'avait rien coûté !

Il riait.

Je pensais aux trois Etché qui n'en finissaient plus de courir l'Europe, leurs Pataugas aux pieds. Strasbourg, Marseille, Monaco, le Cap d'Agde, San Remo, Londres, Gibraltar. Je m'étonnais que les trois hommes aient encore tous leurs orteils. Et tout ça pour moi ?

J'ai posé la bouteille sur la table. Dehors, des babillements.

— C'est la petite-fille de Colette, j'ai dit pour changer de sujet.

Son visage s'est éclairé. Il s'est levé.

Tu t'amusais avec le patou. Un gros chien blanc qui nous regardait d'un air résigné pendant que tu lui tirais les oreilles.

— C'est vrai qu'elle lui ressemble.

J'ai cru voir ses yeux briller.

— Et toi ? il a demandé, le regard fixé sur l'horizon.

Que voulait-il savoir ? Si Pascual était revenu ? Si j'avais survécu ?

— Je travaille toujours à l'atelier, j'ai répondu. Nous avons tout reconstruit après l'incendie. Même la fresque de Véra ! Si tu voyais ça ! je me suis emportée avant de me reprendre aussitôt.

Il a hoché la tête. Au loin, les Pyrénées ne manquaient pas un mot de notre échange. Un groupe de femmes sages, attentives et patientes.

— Et si on allait voir la mer ? a-t-il dit au bout d'un moment.

Je t'ai installée à l'arrière et j'ai mis le moteur en marche. Il a repris sa place à côté de moi, sa pipe entre les lèvres. Comme si de rien n'était.

En cette journée d'été, les sommets enneigés contrastaient avec le vert des plateaux, tachés ici et là par le jaune des lys et les campanules rouges.

Henri m'a raconté ses années en Amérique, la frénésie new-yorkaise, le charme des Hamptons, son retour en France, le caoutchouc, ses projets.

Deux heures plus tard, nous étions à Guéthary. J'ai garé la voiture face à l'océan. La vue était splendide. Un dégradé de bleu qui s'étendait depuis la crique en contrebas jusqu'à l'horizon. Allongée sur la banquette arrière, tu t'étais endormie.

— Quand j'étais enfant, il y avait encore des baleines, a dit Henri avant de relâcher dans l'air un nuage de fumée.

— Rien n'est éternel, on dirait.

Dans le port étroit, un bateau rentrait de la pêche.

Henri s'est tourné vers moi. M'a pris la main. Je n'ai pas pu m'empêcher de remarquer son doigt nu. Il n'avait pourtant pas dû manquer d'opportunités. L'âge lui allait drôlement bien.

— Je ne t'ai jamais oubliée, Paloma.

Ses yeux plantés dans les miens. J'ai serré les dents.

— Pourquoi t'es pas revenu ? j'ai explosé. Après les États-Unis, après la guerre, tu savais où j'étais !

— Tu ne m'as jamais demandé de revenir !

J'ai haussé les épaules. Retiré ma main. Cet échange puéril m'agaçait. Comment pouvait-il encore être vexé de m'avoir surprise dans les bras d'un autre ! C'était il y a plus de vingt ans !

— J'ai tout misé sur toi, Paloma, a-t-il dit soudain, les yeux brillants.

Et d'une voix sourde, avec ce je-ne-sais-quoi dans le regard qui donnait l'impression que plus rien n'existait autour, il a ajouté :

— Et même si ça a été douloureux, je ne regrette rien.

Il ne le regrettait pas ? Et moi ? S'était-il jamais demandé si j'avais besoin de lui ? Voilà tout ce qu'il avait à dire ?

— Tu as été mon plus beau morceau de charleston. Mon meilleur coup de dé.

Dieu que cet homme m'horripilait ! Mais rien ne semblait pouvoir l'arrêter.

— Mais pour toi, Paloma, rien n'a plus de prix que ta liberté. J'ai fait de mon mieux pour la respecter.

En moi, une tempête faisait rage. J'avais envie de le gifler. Et de le prendre dans mes bras. De lui hurler que la liberté sans lui n'avait aucune saveur. De le rouer de coups de poing pour tout ce temps perdu. Bon sang, ce qu'il m'avait manqué !

J'ai approché mon visage du sien. Lentement. Sans le quitter des yeux. Nos lèvres se sont frôlées, il n'a pas bougé.

— La vraie liberté, Henri, c'est de choisir de la partager avec toi.

Le soleil sur nos visages. Les cris des mouettes. Le parfum bleu de l'océan.

— Ne t'avise pas de repartir, Henri ! Ou si tu repars, promets-moi de revenir avant vingt ans.

Il a souri.

— Je te le promets.

Et pour la première fois, doucement, très doucement, il m'a embrassée.

70

Romy nous donnait régulièrement des nouvelles. S'enquérait de toi. Réclamait des photos. Te remerciait pour tes dessins.

Et puis l'euphorie des premières semaines a bientôt fait place au silence. Les lettres de ta mère se sont faites plus rares. Plus sombres. L'agent de stars l'avait quittée. Elle continuait de chanter, mais dans des bars. Il lui arrivait de rester dans son lit des jours entiers. En proie à une tristesse terrible. Son corps ne répondait plus, disait-elle. Elle ne savait plus qui elle était, où elle allait et si tout cela valait la peine. Sa seule consolation dans ces moments-là était que la petite Elizabeth n'ait pas à subir sa mère.

Ses mots me brisaient le cœur. Colette, elle, refusait d'en parler. Se rejouait le film de leur départ des États-Unis, de leurs années à Mauléon. Qu'aurait-elle dû faire différemment ? Rongée par la culpabilité et la colère, elle maudissait Chaplin de ne pas aider sa fille mieux qu'elle ne le faisait elle-même. L'acteur, installé en Suisse avec sa jeune épouse, écrivait ses mémoires, entouré de ses nombreux enfants.

Nous implorions ta mère de revenir. De retrouver sa famille. Elle pourrait chanter tous les jours. Sa fille ne l'avait pas oubliée. Mais Romy restait sourde à nos suppliques.

Un jour que nous n'avions plus de nouvelles depuis un moment, Marcel a conduit Colette à Paris. Il était tard quand ils se sont garés devant chez Romy. Sur la banquette arrière, une petite fille dormait. En te voyant, ta mère retrouverait le sourire et peut-être même qu'elle rentrerait avec eux au Pays basque. En sortant de la voiture, ils ont entendu de la musique qui s'échappait des fenêtres. Des rires. Sur le balcon, un couple s'embrassait. Colette a reconnu Romy. Elle semblait heureuse.

Elle a hésité. Colette n'a jamais douté de rien, sauf quand il s'agissait de sa fille. Elle était incapable de trouver les mots, ses marques d'affection tombaient invariablement à plat. Ils ont fini par monter. Tu dormais toujours dans les bras de Marcel.

En vous apercevant, Romy s'est décomposée. Que veniez-vous faire ici ? Il y avait des gens importants parmi les invités, qu'allaient-ils penser ? Et que ferait-elle d'une gamine à Paris ? Voulaient-ils tout gâcher ?

Elle a embrassé ton front. Et réclamé qu'on la laisse tranquille.

Malheureux, fatigués, Marcel et Colette sont rentrés. Peut-être qu'il suffisait de lui laisser du temps ?

La veille de tes quatre ans, ta mère est revenue. Elle a émergé de la voiture vêtue d'un manteau de fourrure ample au col extravagant, sa chevelure de feu disciplinée dans un chignon élégant. À son bras, un homme de quinze ans son aîné. Jean-Yves Clairemont. Grand, les épaules larges, il dégageait une sérénité qui contrastait avec l'enthousiasme effréné de ta mère. Elle s'est précipitée pour te prendre dans ses bras. Un peu craintive d'abord, tu t'es laissé embrasser, convaincue par la montagne de jouets qu'elle avait apportée.

Volubile, exaltée, elle nous a annoncé ses fiançailles. Jean-Yves l'avait demandée en mariage à Rome. Elle continuait les cours de chant, Jean-Yves disait qu'elle était talentueuse, cette fois c'était la bonne ! Oui, la roue avait tourné ! On l'avait appelée la veille pour un concert dans un cabaret, rien à voir avec les bars où elle chantait avant, non, un cabaret parisien connu ! Dalida elle-même y avait fait ses débuts ! Sa vie allait changer !

Assise sur mes genoux, tu t'amusais avec mon collier.

Romy parlait sans s'arrêter, ardente, surexcitée. Ils s'étaient installés dans un grand appartement face à la tour Eiffel ! Avaient trouvé une nourrice, une école, et une boulangerie où elle achèterait des pains au chocolat pour ton goûter !

Puis elle s'est tournée vers toi avec un sourire éclatant.

— Tu vas venir avec maman, pas vrai, Liz ?

J'ai serré ta petite main. Tu t'es recroquevillée dans mon giron.

Liz ? À Paris ?

Je n'avais jamais imaginé ça. La vie, sans toi.

Soudain, l'air me manquait. On m'arrachait le cœur. On y enfonçait un pieu. Avant de le lacérer à grands coups de canif.

Romy s'est calmée, a plongé ses lèvres dans sa coupe de champagne, impatiente qu'on la félicite.

Colette a souri. Un sourire poli, un peu forcé. Un sourire soucieux de ne pas froisser sa fille. Elle a embrassé les tourtereaux – après tout cet homme semblait bien sous tous rapports, et puis ça ferait quelqu'un pour veiller sur Romy. Silencieuses, les Demoiselles hochaient la tête, incapables de trouver les mots.

Euphorique, Romy s'est jetée à ton cou, allez, on allait faire tes bagages ! Est-ce qu'au moins tu avais une valise ? Je luttais contre les larmes en voyant ta main glisser dans la sienne. Arrivée au pied de l'escalier, tu t'es tournée vers moi.

— Tu viens, Paloma ?

La gorge nouée, j'ai hoché la tête. J'allais te rejoindre, ma chérie, tu pouvais commencer sans moi.

Sans moi.

Je n'arrivais plus à respirer. Ma petite, ma toute petite, comment allais-je pouvoir vivre sans toi ?

Le lendemain, Lupin t'a installée à l'arrière de la voiture. Tu riais, amusée par le bruit que faisait un drôle d'ourson grognon. La portière a claqué. J'ai agité la main. T'ai soufflé des baisers.

En moi, c'était le naufrage. Je luttais contre les larmes. Ne pas pleurer. Je me répétais que c'était mieux pour toi, ma Liz, de vivre avec ta mère. Mais nous, comment allions-nous faire quand tu ne serais plus là ?

Et puis tu as compris que nous ne viendrions pas. Tes yeux se sont remplis de larmes. Tu as tendu les bras vers nous, t'es ruée vers la vitre que tu t'es mise à frapper en hurlant. Mais déjà Romy agitait son bras à travers la portière. La voiture a démarré, étouffant tes cris. Mais pas la longue plainte qui s'élevait en moi.

71

Quelques semaines après, Romy nous a invités à fêter Noël à Paris. Imagine, Liz, l'effet que cette lettre a eu sur nous ! La maison des Demoiselles résonnait de nos cris de joie, Marcel remplissait déjà le coffre de champagne, de jouets, de cadeaux.

Mais trois jours avant notre départ, Jean-Yves nous a appelés. Ta mère venait d'être internée. C'était la première fois. Ce ne serait pas la dernière.

Il nous a rassurés, il prenait soin de toi. Il précisait toutefois qu'il valait mieux remettre nos retrouvailles. Les médecins recommandaient de ne pas venir voir Romy. Elle avait besoin de calme. De mettre un peu de distance entre elle et sa famille. Ses angoisses avaient pris le pas sur sa raison.

Entre deux séjours à l'hôpital, Romy m'écrivait. M'envoyait des photos de toi. Me racontait ce que tu devenais. Ton premier jour à l'école primaire. Les poésies que tu apprenais. Ton goût pour la cuisine. Ton entrée en sixième.

Quant à moi, je t'écrivais chaque semaine. Te donnais des nouvelles de l'atelier, des brebis, de Bixente.

Joignais à mon colis du fromage, des espadrilles, un yoyo, une tirelire, des chaussettes en laine.

Et puis Jean-Yves est décédé. À ce moment-là, la maladie a englouti la vie de Romy. Son écriture devenait illisible. Dans ses lettres décousues, elle se disait menacée de mort, victime d'un complot. On en avait après toi. Tu étais son trésor, elle devait te protéger.

Alors elle a déménagé. Nous a transmis une nouvelle adresse. Une boîte postale. Personne ne devait savoir où vous habitiez. Nos lettres et nos prières n'y ont rien changé. Romy a sombré.

Mlle Véra a dépensé des fortunes pour retrouver votre trace. Mais ta mère et toi vous étiez volatilisées.

Mlle Thérèse est décédée cinq ans plus tard. Mlle Véra l'a suivie de près. Les deux sœurs reposent sous le grand chêne du grand parc, près de la rivière. Inséparables.

Colette était restée auprès de sa mère jusqu'à son dernier souffle. Butinant à droite et à gauche, pétillante, incandescente, lumineuse. Jusqu'à ce qu'elle rencontre Louis, un veuf de la bourgeoisie biarrote. Un rentier qui avait de l'humour à revendre et dont la compagnie nous enchantait. Colette et lui partaient souvent au bout du monde, admirer les papillons au Mexique, observer les gorilles en Afrique, skier dans les massifs du Caucase. Colette voyageait pour oublier.

À présent, l'atelier tournait entre les mains expertes d'Angèle et de Xabi. Mère et fils avaient préservé l'âme du lieu. Les femmes continuaient de s'y retrouver. Pour quelques semaines ou quelques années.

La vie a continué. Elle continue toujours.

Jusqu'au jour où j'ai reçu enfin une lettre de Romy. La dernière.

Tu allais avoir dix-huit ans. Elle me demandait de prendre soin de toi en son absence. Elle n'y arrivait plus. Ne voulait plus être un poids. Consciente de sa maladie, mais incapable d'y faire face, elle regrettait de ne pas avoir réussi à être une grande chanteuse, une fille aimante, une bonne mère.

Tu adorais la cuisine. Elle avait trouvé une école, la meilleure de toutes, la seule à la hauteur de ton talent. Un truc épatant, fabuleux, magnifique ! Romy aimait toujours autant les superlatifs. Elle nous avait déjà beaucoup demandé, mais accepterions-nous de l'aider une dernière fois ? Elle avait ouvert un compte en banque. Prévenu l'école. Préparé les papiers pour l'inscription. La cuisine ferait de toi une star. Celle qu'elle n'était jamais devenue.

Elle avait bien profité malgré tout, disait-elle. Nous embrassait chaleureusement, sans oublier sa mère.

Elle joignait une photo de vous deux riant aux éclats près d'une fontaine. C'était l'été. Ses taches de rousseur, sa chevelure flamboyante. Ton regard. Mes mains tremblaient en tenant la photo. Dix-huit ans ! Dont quatorze passés loin de nous. Loin de mes bras, de mes baisers, de cet amour qui ne trouvait plus où se poser. Ma Liz, tu m'as tellement manqué.

Alors j'ai fait ce qui s'imposait. J'ai vendu l'atelier à Xabi. Mis de côté ce qui me serait nécessaire pour la suite. Pas grand-chose en vérité. Et j'ai envoyé tout le reste à l'adresse que m'avait donnée ta mère. Colette m'a imitée. Lupin, Marcel et Bernadette aussi.

Pour vous, pour toi, ma Liz, nous étions prêts à tout.

72

Nous n'avons plus jamais eu de nouvelles de vous. Jusqu'à cet article.

« Liz Clairemont, la chef préférée des Français ! »

Si tu savais comme je suis fière ! Je remercie le ciel de m'avoir permis de vivre suffisamment longtemps pour assister à ta réussite. Toi, futur chef étoilé ! Star de la télévision, adorée de tous ! Même si cela ne me surprend pas en vérité.

J'ai plus de quatre-vingts ans aujourd'hui. J'habite toujours la maison aux volets bleus le long de la route de Chéraute. Ta grand-mère aura été mon amie la plus sincère. La sœur qui m'a manqué.

Louis et elle ont fini leur vie ensemble. Tout comme Bernadette et Marcel. Quant à Lupin, il n'a jamais quitté Véra. Méditant chaque jour sur son banc, face à la rivière et aux montagnes. Attentif aux mouvements de la nature, à l'écoute des étoiles. Je repense à lui souvent. Je crois l'entendre rire à côté de moi tandis que je mets la dernière main à cette lettre. La vie prend parfois de drôles de détours pour nous ramener à l'essentiel.

Et puis bien sûr Henri. Il a mené jusqu'au bout sa vie d'entrepreneur, toujours d'une curiosité insatiable, toujours en quête de nouvelles idées, adoré de ses employés. Je l'ai demandé en mariage sur un coup de tête pour ses soixante-dix ans. Un groupe de musique reprenait les grands classiques du charleston, j'y ai vu un signe. Le moment donné par le hasard vaut parfois mieux que le moment choisi.

En écrivant cette lettre, je revois la petite fille au rire clair que tu as été. Mais si je ne me trompe pas dans mes calculs, tu dois avoir près de quarante ans à présent. J'espère qu'après avoir lu cette lettre, tu sauras que Romy n'a pas été ta seule famille. Ta mère t'a aimée. Profondément. Malgré ses angoisses, ses démons. Quant à nous, Colette, les Demoiselles, et tous les autres, nous ne t'avons jamais oubliée. Durant toutes ces années, pas un jour n'est passé sans que je pense à toi. Je ne suis pas ta grand-mère. Je ne suis dans aucun album photo. Peut-être même dans aucun de tes souvenirs. Mais j'ai envie de croire que j'ai été bien plus encore. La vraie famille est celle que l'on se choisit pour soi-même.

Parfois, en regardant les Pyrénées, je repense à cette petite Espagnole pauvre que j'étais. Pas bien jolie, mais habitée par de grands rêves. L'atelier aura changé ma vie et celle de nombreuses femmes. J'aime à penser que mes dessins auront aussi changé la tienne. Je m'éteindrai un jour en me disant que tout cela en valait la peine.

Je pense qu'une femme comme toi n'a pas grand-chose à faire de l'octogénaire que je suis devenue. Mais si d'aventure tu avais besoin de la compagnie d'une vieille dame qui aime coudre des espadrilles et boire du champagne, je suis là.

Je serai toujours là.

Aux lecteurs,
juste un mot avant de partir

Ma grand-mère maternelle est originaire du Béarn. C'est par elle que j'ai découvert Mauléon. J'y passe l'été en compagnie de mes enfants, profitant du parfum des estives et de l'accueil chaleureux des habitants. Le cœur de la Soule abrite de nombreux ateliers d'espadrilles. L'un d'eux a suscité ma curiosité. Par son nom d'abord : Don Quichosse ! Par sa renommée aussi : ce petit atelier coud à la main pour les plus grands de la mode, séduits par son savoir-faire et ses créations.

Philippe, le patron, organise régulièrement des visites. C'est lui qui m'a initiée au procédé de fabrication. La tresse. La semelle. Le bout et le talon. Je suis allée plusieurs fois à sa rencontre, avec mon carnet et mon crayon. Curieuse, attentive, j'ai posé des questions. Observé les gestes des ouvriers. Écouté leur récit. Et de fil en aiguille, j'ai découvert l'histoire des hirondelles, ces jeunes filles – âgées parfois d'à peine douze ans – qui rejoignaient clandestinement la France pour s'y constituer un trousseau. Certaines n'atteignaient jamais leur destination, emportées par la montagne. D'autres n'en repartaient plus. De nombreux Basques comptent des couseuses parmi leurs aïeules. Étonnamment, peu connaissent leur histoire.

Aidée par des locaux passionnés par leur pays autant que par ses traditions, j'ai mis la main sur des témoignages et des photos. Refait le chemin des hirondelles. Traversé les villages. Imaginé leur quotidien.

Ainsi est née Rosa.

Et puis un soir, au détour d'un chapitre, la jeune Espagnole a fait la connaissance des Demoiselles. Ce n'était pas prévu. Je visualisais ces Parisiennes, leur opulence, leur liberté. Que venaient-elles faire dans mon roman ? Qui les avait invitées ? J'ai fait des recherches. Consulté des livres. Détaillé les photos. Les robes. Les décors. Stupeur ! Voilà que je suis tombée sur l'adresse d'un hôtel particulier. Dans ma rue. À quelques mètres de chez moi avait vécu l'une des horizontales les plus célèbres du gai Paris.

Hasard ? Je ne crois pas. Ces femmes avaient envie de prendre ma plume. De me confier leur histoire. Pour trinquer une fois de plus au champagne. Aucun doute là-dessus.

Amis lecteurs, dans cet exercice merveilleux qu'est l'écriture, quelque chose nous dépasse. Je remercie donc chaleureusement les hirondelles et cocottes qui se sont invitées entre ces pages. Faire revivre leurs souvenirs m'a procuré beaucoup de joie. Des ateliers de couture de Mauléon au Paris coquin et sulfureux de la Belle Époque.

Dans ce roman se sont glissés quelques personnages et faits historiques.

Les hirondelles, bien sûr. Leur voyage ne peut que faire écho aux chemins escarpés que prennent d'autres migrants aujourd'hui. Pour en savoir davantage sur ces femmes, écoutez-les parler dans le très bel ouvrage de Véronique

Inchauspé, *Mémoire d'Hirondelles*[1]. Ces témoignages n'ont pas de prix.

Charlie Chaplin ensuite, qui fit la une des journaux de l'époque lors de sa venue à Tardets pour la grande fête des d'Arhampé. Les articles ne font pas mention d'Émilienne, de Colette, ni d'une cuisinière amoureuse d'un chauffeur à casquette, mais ce dîner a bel et bien eu lieu.

L'histoire de la Pataugas, fierté de Mauléon, se lit aussi entre les lignes. Sous les traits d'Henri se cache René Elissabide, entrepreneur de génie.

Enfin, les Demoiselles rendent hommage aux cocottes, lorettes, demi-mondaines et femmes libertines du début du XXe siècle. Sous leurs artifices, Liane de Pougy, Émilienne d'Alençon, Valtesse de La Bigne et tant d'autres.

En revanche, M. Dior n'a malheureusement pas laissé de trace d'un quelconque passage à Mauléon. Mais l'idée m'a plu de lui offrir un voyage imaginaire à l'atelier des Hirondelles. Rosa quant à elle emprunte quelques traits et saillies à Gabrielle Chanel (« Prenez mes idées, j'en aurai d'autres ! »).

J'espère que cette échappée au Pays basque vous aura donné envie de découvrir ses traditions, son patrimoine et son savoir-faire. La France est d'une richesse exceptionnelle et ses régions ont du cœur. La Soule n'y fait pas exception. Soyons-en fiers.

Quelques remerciements.

À Philippe pour son accueil chaleureux, sa créativité, sa passion, ses encouragements. À Louise, Bretonne portée

1. Éd. Uhaitza & Ikherzaleak, 2001.

par le vent, qui a inlassablement répondu à toutes mes questions, même les plus farfelues. Merci pour sa patience et sa joie de vivre. Amis lecteurs, si le cœur (et les pieds !) vous en dit, faites un détour par Mauléon et son petit atelier d'espadrilles. La tradition remise au goût du jour, le souci du travail bien fait, tout y est. Rendez-vous chez Don Quichosse !

Mes romans s'écrivent avec une bonne dose de doutes. Les jours de grand vent, je peux compter sur un entourage sincère et attentif. Sans eux, ce roman ne serait pas.

Merci à Karine, qui sait rallumer la lumière lorsqu'il fait sombre. Le vicomte de Bec-en-Ville lui doit beaucoup. À Claire, qui met sa sensibilité au service de l'écriture, et pas que dans ses podcasts. À Maëlle, fée indispensable, qui veille sur mes mots et prend fait et cause pour les chats. À Micka pour nos échanges sincères et mystiques. À Sandrine et Rémy que je me réjouis de retrouver tous les week-ends. À toute l'équipe d'Albin Michel qui m'accompagne au quotidien.

Merci aux libraires qui ont accueilli mon arrivée dans leurs rayons avec enthousiasme. Merci pour les rencontres, les échanges, les conseils aux lecteurs qui permettent à de nouvelles voix de se faire entendre.

Merci aux bookstagramers (Juju, François, Fanny, Mira, Delphine, Aurélie, Agathe et tant d'autres) qui par leur passion, leurs chroniques travaillées et leurs coups de cœur contagieux participent à donner du souffle à la littérature.

Merci à ma famille, et en particulier à ma tante Pascale, pour son accueil à Chéraute. Ce livre lui doit beaucoup. Une pensée pour mon arrière-grand-mère qui a inspiré l'histoire de ces femmes résistantes aussi belles que courageuses. Merci à ma mère, qui a refait avec moi le chemin des hirondelles. Ce roman lui est dédié. En elle, quelque chose des Demoiselles et de leur charisme flamboyant.

Merci enfin à mon Henri. L'intelligence, la délicatesse, le romantisme, c'est lui. Merci d'y croire pour deux. De prendre soin de notre famille pendant que je trinque aux quatre coins de la France. Je salue les étoiles qui t'ont mis sur mon chemin.

Un bouquet de baisers à mes deux soleils qui m'ont patiemment suivie dans l'écriture de ce livre, de l'atelier d'espadrilles aux bancs du parc Monceau en passant par les câlins du soir qui ont inspiré les scènes les plus tendres de ce roman. Je vous aime tellement.

Merci enfin aux lecteurs. Pas un jour sans que vos mots m'accompagnent et me donnent cet élan formidable qui envoie mes doutes dans les cordes. Je me réjouis d'avance de toutes les aventures à venir que nous partagerons ensemble.

J'espère que ce livre vous aura donné envie de sabrer le champagne, de danser le swing et d'aimer sans détour. Une pensée pour ces femmes oubliées par l'Histoire à qui nous devons tant.

Anne-Gaëlle
aghuon.auteur@gmail.com

Retrouvez l'auteure et découvrez
les coulisses de ce roman
sur les réseaux sociaux

@annegaelle_huon

De la même auteure :

Même les méchants rêvent d'amour, Albin Michel, 2019.
Le bonheur n'a pas de rides, City Éditions, 2017.
Buzz !, City Éditions, 2016.

Anne-Gaëlle Huon au Livre de Poche

Le bonheur n'a pas de rides n° 35365

Le plan de Paulette, quatre-vingt-cinq ans, semblait parfait : jouer à la vieille bique qui perd la tête et se faire payer par son fils la maison de retraite de ses rêves dans le sud de la France. Manque de chance, elle échoue dans une auberge de campagne, au milieu de nulle part. La nouvelle pensionnaire n'a plus qu'un objectif : quitter ce trou, le plus vite possible ! Mais c'est compter sans sa nature curieuse et la fascination que les autres résidents, et surtout leurs secrets, ne tardent pas à exercer sur elle. Que contiennent en effet les mystérieuses lettres cachées dans la chambre de monsieur Georges ? Et qui est l'auteur de l'étrange carnet trouvé dans la bibliothèque ? Une chose est certaine : Paulette est loin d'imaginer que ces rencontres vont changer sa vie et peut-être, enfin, lui donner un sens.

Même les méchants rêvent d'amour n° 35714

Jeannine a quatre-vingt-neuf ans passés. Elle aime : les bals musette, les costumes des patineuses artistiques et faire un six aux petits chevaux. Elle n'aime pas : le sucre sur le pamplemousse, les films d'horreur et les gens qui postillonnent. Le jour où on lui annonce que sa mémoire s'apprête à mettre les voiles, Jeannine est déterminée à ne pas se laisser faire. Alors elle dresse des listes. Et elle consigne dans un carnet tous les bonheurs qui ont marqué sa vie. Quand Julia, sa petite-fille, la rejoint en Provence, elle découvre ce que sa grand-mère n'a jamais osé raconter. L'histoire d'un secret, d'un mensonge. Julia va tenter de faire la lumière sur les zones d'ombre du récit. Et s'il n'était pas trop tard pour réécrire le passé ?

Le Livre de Poche s'engage pour l'environnement en réduisant l'empreinte carbone de ses livres. Celle de cet exemplaire est de :
250 g éq. CO_2
Rendez-vous sur www.livredepoche-durable.fr

Composition réalisée par PCA

Achevé d'imprimer en avril 2021 en Italie par
Grafica Veneta S.p.A.
Dépôt légal 1re publication : mars 2021
Edition 10 - avril 2021
LIBRAIRIE GÉNÉRALE FRANÇAISE
21, rue du Montparnasse – 75298 Paris Cedex 06